KB021858

세계여행작가

Globalization Travel Writer

세계여행작가협회 편

서문당

세계여행작가

Globalization Travel Writer

2019

세계여행작가협회 편

우리들의 여정을 축하하며…

"세계여행작가협회 여러분, 안녕하십니까?" 라고 크게 외치면 이제는 세계 방방곡곡에서 "네~!" 하고 크게 화답하는 소리가 들리는듯합니다. 우선 우리 회원들께서 거주하는 지역이 그간 많이 확장 되었습니다. 영국에 계시는 여러분들을 비롯하여 독일 등 유럽 곳곳에도 회원분들이 살고계시고 북미주에는 미국의 서부와 동부는 물론이고 캐나다에도 회원 분들이 계십니다. 이 회원 분들이 국내의 우리를 향하여 방문의 손짓을 하고 계시는 것은 참으로 고맙고도 사기 충천하는 일인가 합니다.

뿐만 아니라 지난 한해 동안 우리 회원들께서도 세계 방방곡곡을 두루 누비며 세상을 보는 안목과 내적인 충일감을 거둔 일도 자긍할 기록이라 봅니다. 구체적으로는 상당수 회원들이 영국에 계시는 회원들의 초청으로 영국의 각 지방과 아일랜드, 스코틀랜드를 다녀왔고, 또한 북유럽과 남미, 아시아 등을 진출하여 진정한 여행의 면모를 만끽한 것은 특별히 자랑할 만한 일기도 합니다.

물론 여행이 무슨 타인에게 자랑을 하자고 하는 일은 아닙니다만, 이렇게 우리들은 한해의 여정들을 무크지로 만들어서 회원 간의 소통은 물론 자신에게 대한 통찰과 자성의 계기도 삼고 또한 주변의 많은 분들에게 여행의 참 목적을 선양하는 것은 하나뿐인 인생도정에서 나름의 의미를 천착하는 것이라고 자부하는 순간이자 계기라고 생각합니다.

　〈세계여행작가협회〉의 궤적은 단순히 여행에만 국한하지 않았습니다. 우리의 발걸음을 이렇게 문학과 영상으로 승화시켜서 기록으로 남기지만 때로는 음악회와 시낭송 기타 여러 포럼과 집담集談회 등으로 소통과 커뮤니케이션의 장을 열어왔음도 자긍할 만한 일이 아닌가 생각합니다. 또한, 지난 한해는 여러 회원들이 산문과 운문 집을 많이 내기도 하였습니다. 경하할 일들이었습니다.

　이제 다시 우리는 먹을 갈아 그간의 발걸음에 따른 명상과 영상을 한데모아 네 번째의 문집을 상재코자합니다. 해가 갈수록 더욱 알찬 작품들이 모여서 우리의 기개를 높여주는 〈세계여행작가협회〉 제4문집 출간 하게 됨을 회원모두가 감사함을 전합니다.

2019년 5월
세계여행작가협회
회장 장덕환

여행은 교과서이다

정 건 섭

2019년 유난히 빛깔이 고운 봄이다, 먼저 〈세계여행작가협회〉의 제 4호 문집 발간을 축하하며, 짧은 기고를 하게 되어 기쁘게 생각한다.

우리가 살고 있는 지식기반사회가 되기까지 큰 역할은 무엇이었을까 생각해 본다. 그것은 크고 작은 역사문명의 단초가 있기 때문이라 생각한다.

옛말에 온고지신(溫故知新)이란 고사성어가 있다. 공자는 옛것을 통하여 새로운 지식과 지혜를 습득해야 '제대로 된 창조적인 지식의 계승'이라 보는 것이다.

그것을 배우는 교과서는 여행이 아닐까? 지구 곳곳에 배어있는 선조들이 살았던 교훈과 삶의 희극들을 보고 익히는 여행이야 말로 충분한 교과서라 생각한다.

회원님들도 여행하면서 많은 것을 보고 배우고 있지만, 어디를 가나 현지인들의 생활 풍습들이 낯설고 신기한 풍광들이 아름답게 보인다. 그것은 시공간적으로 유구한 문화와 역사가 배어있기 때문이다.

여행의 즐거움은 자기성찰이 우선이라 본다. 한 템포 느리게 걷다보면 길에서 만나는 풍경들과 사유하며 구도의 길을 걷는 사람들, 여행자들의 한발 한발이 진지한 통찰력으로 세상을 보는 자유를 만끽 하시기를 바란다.

다시 한 번 〈세계여행작가협회〉 4번째 문집 발간을 축하하며, 회원님들의 흔적이 우리 역사 속에 길이 남기를 축원하는 바이다.

2019년 꽃이 화사한 5월에

차례

4부 기행 시 - 아침이슬 같은 감성을 쓰는 사람들

제1부

걸으며 하는 이야기

장덕환

남정호

장민숙

조희완

최윤정

조복순

유진순

사진 박춘기

스페인 최고요리 꼬치니요의 명당
보땡(Botin)과 깐디도(Candido)를 찾아 맛 기행

글·사진 **남 정 호**
본지 독일 지부장

마드리드 맛의 명소 '사브리노 드 보땡'

기네스북에 등재된 세계에서 가장 오래된 식당은 스페인의 수도인 마드리드의 중심가에 있는 마요 광장(Plaza Mayor)에서 가까운 거리 까예 로스 쿠치예로스(Los Cuchilleros) 17번지에 있는 '소브리노 드 보땡' (Sobrino de Botin)이라고 불리는 레스토랑이다.

세계 최고(最古)의 역사를 지닌 식당이란 명예를 간직한 보땡의 겉모습은 갈색의 외벽으로 단장된 우아한 인상을 안겨주는 4층 건물이다. 문을 열고 안으로 들어서면 다양한 내부장식이 식당의 오랜 역사를 나타내주고 있다. 보땡이 태어난 초기 연도는 430여 년 전인 1590년으로 거슬러 올라간다.

그러나 식당 이름이 보땡으로 불리게 된 연유는 장 보땡(Jean Botin)이라는 프랑스인 요리사가 그의 부인과 함께 이 식당을 사서 그의 이름을 딴 보땡으로 부르기 시작한 1725년부터이다. 당시 식당 허가 명칭은 '까사 보땡'(Casa Botin)이었다. 후에 이름을 소브리노 드 보땡으로 바꾼 것은 보땡이 죽은 뒤에 그의 조카가 인수한 후 부터다.

소브리노 드 보땡은 '보땡의 조카' 라는 뜻이다. 그 후 곤자레스(Gonzales)라는 성을 지닌 가족이 1930년에 이 식당을 인수한 후 현재는 그의 아들 안토니오와 호세 곤자레스 형제가 3대 공동으로 운영하고 있지만, 식당 명칭은 오랜 역사동안 명성을 유지해온 전주인의 이름을 간직한 소브리노 드 보땡을 그대로 유지하고 있다.

레스토랑 보땡이 스페인을 벗어나 세계적으로 유명해진 것은 오랜 역사 때문이기도 하지만, 이 식당의 대표적인 요리인 '꼬치니요'(Cochinillo)라는 돼지새끼구이 요리와 '꼬르데로 아사

'꼬치니요' 를 굽는 화덕시설

꼬치니요 요리접시

도'(Cordero assado)라는 양 새끼구이 요리의 명성 때문이다. 이 요리 맛을 보려고 국내외의 유명 인사들의 발길이 이어지면서 보땡의 성가는 나날이 높아졌다.

여기에다 노벨문학상 수상작가인 어니스트 헤밍웨이(1899~1961)가 그의 출세작인 '피에스타'(Fiesta ; 일명 '태양은 다시 떠오르다' (The Sun also Rises))에서 레스트랑 보땡을 최고의 식당으로 묘사해서 독자들의 흥미를 자극했다.

소설 피에스타의 작중 주인공의 입을 빌려서 보땡에서 먹은 돼지새끼요리와 스페인 북부지방 적포도주인 리오하(Rioja)를 찬양하면서 "보땡은 세계에서 가장 좋은 식당이라"고 언급하는 대목이 나온다. 그리고 피에스타가 영화로 만들어진 후 보땡에 대한 호기심이 미국인들에게 더욱 높아지면서 마드리드를 들르는 미국인 관광객들에게 보땡은 빼놓을 수 없는 탐방 명소가 됐다. 헤밍웨이는 보땡 식당의 1급 홍보맨 역할을 한 폭이 되었다. 실제로 헤밍웨이는 마드리드를 들를 때마다 보땡을 찾았던 단골 고객이었던 것으로 알려졌다.

스페인의 세계적 화가인 프란치스코 드 고야(Goya : 1746~1828)가 한때 이 식당에서 일한 적이 있었던 사실이 알려지고, 마드리드를 찾았던 세계적인 명우 에바 가드너, 게리 쿠퍼, 그레이스 켈리, 우디 알렌, 소설가 그레이험 그린 등 무수한 문인, 음악가, 연예인, 정치가 등 저명인사들의 발걸음이 끊이지 않으면서 보땡의 성가는 치솟았다. 보땡을 찾은 인기인들로는 이들 외에도 마드리드를 들렀던 일본 국왕과 키신저 전 미국 국무장관 등 세계적인 정치인들과 레이건 대통령 부인 낸시 등 유명 인사들의 이름이 줄을 잇는다. 마드리드를 들를 때마다 보땡을 찾았던 단골 한국인으로서는 대한항공의 창업주인 고 조중훈 회장을 꼽을 수 있다.

보땡의 지하 식당

　이들이 보땡을 들르는 주 이유는 스페인 북서부 구(舊) 가스티리요 지방의 전통요리인 꼬치니요와 꼬르데로 아사도의 맛을 즐기기 위해서다. 여기에 곁들여 식당이 내놓는 양유(羊乳)와 치즈가 별미다. 꼬치니요의 요리 재료인 새끼돼지는 생후 3주 정도의 젖먹이 새끼여야 하며 무게가 4.5kg에서 6.5kg을 넘지 않아야한다. 양파 소스와 매운 페퍼, 마늘과 백포도주, 파프리카와 토마토 수프 등 양념을 발라서 장작을 땔 때는 화덕 아궁이에 그릇에 담아서 넣고 굽는다. 고기가 익은 후 꺼내서 고기를 갈라서 소스와 함께 내놓는다. 여기에 북부 스페인지방의 라 리오하(La Rioja) 적포도주를 같이해야 제격이란다. 아니면 리베리 델 두에로(Duero) 지방에서 나는 적포도주를 곁들이면 금상첨화다.

보땡이 수도인 마드리드에 자리 잡고 있어서 외국 관광객들에게 찾기가 편리한 식당이지만, 꼬치니요 요리에 관한 한 보땡을 능가는 식당이 북서부 스페인지방의 역사문화도시인 세고비아(Segovia)에 있다.

마드리드에서 북서부 쪽으로 헤밍웨이의 소설 '종은 누구를 위하여 우나?' 의

세고비아의 로마수도교 옆 '깐디도' 식당

무대인 구아다라마 산맥을 넘어서 44km 지점의 해발 1,000m 고지에 위치한 세고비아는 유네스코(UNESCO)가 1985년에 도시 전체를 세계문화유산으로 지정한 구 가스틸리요 지방의 주도이다. 한국에도 잘 알려진 '백설공주의 성' 이 있고 2,000여 년 전에 축조한 로마의 웅장한 건축물인 수도교(水道橋 : Acueducio Romano)가 시내에 아직까지 남아있는 문화유적지다.

이 도시의 시내 중앙에 있는 아조꾸에호(Azoquejo) 광장 바로 옆에 자리 잡은 '메송 드 깐디도(Meson de Candido)' 라는 식당이 마드리드의 보땡과 쌍벽을 이루고 있는 전통요리인 꼬치니요의 전문식당이다. 꼬치니요 요리를 전문으로 하는 식당이 스페인에 많이 있지만, 깐디도와 보땡은 어느 식당도 넘볼 수 없는 최고의 맛을 내는 식당으로 명성을 누리고 있다.

꼬치니요 요리의 원조는 사실상 깐디도의 꼬치니요라고 할 수 있다. 꼬치니요는 세고비아의 주변지역인 가스티리야 지방의 전통적인 향토요리다. '꼬치니요 아사도 세고비아노(Cochinillo Asado Segoviano)'란 정식 명칭이 이를 증명한다. 꼬치니요의 재료인 새끼돼지는 세고비아에서 공급되는 고기가 최상의 맛을 낸다.

세고비아의 전설적 '요리명인' 깐디도

마드리드의 보뺑도 세고비아에서 공급되는 새끼돼지를 쓴다. 주 3~4회씩 공급된다.

메송 드 깐디도의 전설적인 요리사 겸 현 소유주인 알베르또(Alberto) 깐디도의 아버지 로페즈(Lopez)가 1905년부터 그의 최고 요리솜씨를 발휘하면서 전국적인 명성을 얻게 됐다. 로페즈는 구운 새끼돼지를 칼로 썰지 않고 접시로 툭툭 쳐서 잘라서 접시에 담아서 손님들에게 내놓는 전통을 세웠다. 따라서 고객들의 인기는 더욱 높아졌다. 전통적인 스페인 왕가를 단골 고객으로 만들고 왕실의 신뢰를 얻으면서 깐디도는 스페인 왕국에서 '미각의 성지'가 됐다. 현재 3대째 이어오는 깐디도 가문은 스페인 최고의 요리 명문가문으로 평가된다.

식당의 창업자 로페즈는 어릴 때부터 요리사로 성장한 후 1931년에 지금의 자리에 있던 식당을 구입한 후 '까사 깐디도'로 명명하고 그의

깐디도를 찾았던 유명 연예인들

쟁쟁한 요리솜씨를 발휘하면서 세계 각지에서 이름난 명사들이 몰리기 시작했다. 이런 과정을 거치면서 그는 세고비아의 전설적 '요리명인' 반열에 오르게 됐다. 그는 1992년에 사망하기 전에 수많은 각종 훈장을 받았고 그의 동상이 세고비아에 세워질 정도로 명성을 누렸다. 깐디도 가문은 대규모 식자재 회사도 운영하고 있고 왕실에서 국빈만찬 행사에 사용하는 별도의 웅장하고 화려한 식당 홀도 운영하고 있다.

레스트랑 깐디도는 로마 수도교의 아취형 기둥 가운데 45m의 가장 높은 화강암 아취 바로 앞에 자리 잡고 있어서 고객이 식당 앞 노상 테이블에 자리를 잡으면 2,000여 년 동안 견뎌온 장엄한 고대 건축물을 감상하면서 애저(猪)요리를 음미할 수 있다. 더구나 석양노을이 지는 초저녁 무렵이나 달이 휘

수도교를 뒤로 한 깐디도의 실외 풍경

영청 밝은 밤에 기타를 치는 악사의 음악을 들으면서 꼬치니요를 먹는다면 더욱 풍성한 미각을 즐길 수 있다. 이 식당도 세고비아를 들르는 세계적 저명인사들의 발걸음이 끊이지 않는 곳이다. 식당 안엔 배우 오손 웰즈, 그레이스 켈리, 애바 가드너, 케리 그랜트, 소피아 로렌, 찰튼 헤스턴 등 수많은 방문객들의 이름이 적혀있다. 노벨문학상

깐디도 앞 아쬬구에호 광장에서 필자

을 수상한 칠레 시인이자 외교관이었던 파브로 네루다(Pablo Neruda : 1904~1973)는 창업주 깐디도의 초청으로 이 식당을 찾아서 꼬치니요를 든 후 떠나기 전에 깐디도를 찬양하는 헌시(獻詩)를 지어 식당의 주가를 높였다.

"Good food on the plate, good wine in the jug, sounds from guitars that awaken with song, because Spain is for living, Castile is wining, Spain is for feeling and Candido for eating."

깐디도 식당은 이 시를 더없는 영광이자 자랑으로 여긴다.

보땡과 깐디도. 이 전설적인 두 레스토랑은 마드리드와 세고비아를 들리는 방문객들이 빼놓아서는 안 될 관광명소이자 스페인 최고의 '맛의 전당' 이다.

오슬로 비겔란 조각공원

글 사진 장 덕 환

어느 조각가가,

"조각은 침묵한다. 조각은 침묵 속에서 끝없는 갈망과 적의를 뿜어내며 미련한 물질 한 덩어리로 소리 없이 공간을 휘잡아 말할 수 없는 것을 말한다"고 했다.

나는 공간을 휘잡아 말할 수 없는 것을 말하는 조각에 매료되어 세계 여러 곳을 여행할 때마다 유명한 조각가들의 작품들을 찾으며 그 속에 빠져들곤 했다.

　작년 여름 북유럽 여행 중에 언제나 그러 했듯이 예외 없이 그 유명한 노르에이 오슬로 비겔란 조각공원을 둘러볼 기회를 가졌다.

　비겔란 조각공원은 연식이 좀 오래된 프로그네르공원에 부분적으로 통합된 곳으로 년중 내내 대중에게 공개되고 있다. 이 공원에는 구스타프 비겔란이 직접 제작한 192점의 조각들과 650점이 넘는 실물 크기의 형상물들이 전시되어 있다.

　비겔란 조각공원은 노르웨이가 낳은 세계적인 조각가 구스타프 비겔란 작품을 모아둔 곳인 만큼 입구부터 범상치 않은 모습이다.

　중앙 입구에서 넓은 잔디 밭을 사이

에 두고 나 있는 다리 양 쪽 다리 난간 위에 58점의 청동 조각이 그 섬세함과 아름다움을 나타내며 진열되어 있고, 다리 네 모퉁이의 화강암 기둥위에는 화강암에 조각한 작품이 올려져 있다.

이 조각들은 가족관계를 표현한 작품들로 인물들 사이에서 중심을 차지하는 모티브는 남자와 여자 성인과 아이들 사이의 관계를 조각에 넣어 안정스런 형상들과 힘이 넘치거나 폭력적인 움직임을 보여주는 역동적인 형상들을 번갈아 가며 설치해 놓았다. 이 곳 조각들에서 뿜어 나오는 활력과 삶을 향한 열정을 표현한 모티브에 흥분되지 않을 수 없었다.

다리가 넓어지는 지점에 원형 바퀴 모양의 청동 조각이 있는데 그 안에 남자와 여자가 고리가 되어 굴러가는 움직임을 담았는데 원형은

영원을 상징하며 이 작품은 이성간의 끊임없는 끌림과 사랑을 나타내는 것으로 한편 동양의 음과 양을 상징하는 형상물로 보여지기도 하다.

다리 아래에는 어린아이들을 묘사한 8점의 청동 조각들이 바닥 둘레를 따라 설치되어 있다. 중앙에 있는 작은 화강암 기둥 위에는 아직 태어나지 않은 태아가 머리를 아래로 둔 형상이 놓여 있다. 이 조각을 둘러 에워싼 조각 어린아이들

의 모습은 삶
의 가장 초기
모습을 묘사함
을 보여 주고
있다.

다리를 지
나 장미화원을
지나면 비겔란

조각공원 설치물 중 가장 오래 된 분수대를 만나게 된다. 20여 구루 나무 조각 아래로는 한 사람의 일생이 부조(평면상에 형상을 입체적으로 조각하는 조형기법)형태로 만들어져 있다.

분수 물받이 중앙에 여섯 거인이 컵받침 모양의 물그릇을 떠받치고 있고, 물그릇 가장자리로 아름답게 물이 흘러내린다. 무거운 물그릇을 지탱하고 있는 거인들의 모습에서 삶의 무게를 생각하게 한다.

분수를 포함한 주위에는 전 세계적으로 풍요로움의 상징으로 묘사한, 분수를 둘러싼 난간 위에 20그루의 나무들을 병렬로 배치해 놓았는데 이 나무들은 성경에 나오는 '생명의 나무'를 상징한다고 한다.

2m 높이의 조각 안에 나무와 사람들을 조합해 넣은 아이디어는 비겔란 작품 중 가장 독창적인 구상으로 수관(樹冠)과 가지는 사람 형상들이다.

다양한 자세를 취할 수 있는 조각 공간을 제공하며 빛과 그림자가 날씨와 하루의 시간에 따라 변하게 했다.

나무 모양의 조각들은 인간과 자연의 낭만적인 표현을 보여 준다.

분수대를 지나 계단을 오르면 비겔란 조각공원의 가장 유명한 작품인 모놀리트(The Monolith)를 만나게 된다.

121명의 인물들로 구성된 이 돌기둥은 거석(Monolith)이라고 하는데 이 이름은 아주 큰 단일 암석 덩어리로 조각했기 때문에 붙여진 것으로 인물만 조각해 넣은 부분만 14m이며 주추를 포함한 기둥 전체의 높이는 17m에 달한다. 이 모놀리트는 180톤에 달하는 무게의 돌에 3명의 석재 조각가가 1929년부터 1943년까지 14년에 걸쳐 작업, 비겔란 사망 직전에 완성되었다고 한다.

돌기둥 전체에 단일 혹은 돋을새김(면에 형상이 도드라지게 새긴 조각=부조)으로 조각한 사람 형상으로 모두 덮여 있다. 돌기둥 밑에는 무기력해 보이는 몸들이 있고 그 위로 나선형을 이루며 위쪽을 향하여 올라가는 형상들이 있으며 꼭대기에는 몸집이 작은 어린아이들로 조각되어 있다.

121명의 사람들이 뒤엉켜 몸부림 치는 모습이 생생하게 묘사된 작품이다. 자신의 목적을 위해 남을 밟고 더 높은 곳을 향하는 인간의 본성을 잘 표현하고 있음을 보여준다.

모올리트 뒤쪽으로 'The Wheel of Life' 라는 둥근 바퀴 모양의 브론즈로 만든 작품이 있다. 둥근 바퀴처럼 된 형태는 영원을 상징하며 남자, 여자, 어린아이가 뒤엉켜 있는 모습을 표현했다. 이 작품은 베겔란 조각공원 전체의 주제를 요약한 작품이라고 하며 요람에서 무덤까지 행복과 슬픔이 뒤섞인 인간의 삶을 나타내고 있다.

조각 작품들 사이를 거닐다 보면 조각들로부터 인생 경험에서 우러나오는 반응을 보이는 자신을 발견한다.

비겔란 작품들은 대부분 삶의 무게, 경쟁, 고통을 주로 표현하지만 그 중에서도 'Woman running and lifting a child' 와 같은 작품은 가장 역동적이면서 기분 좋아질 수 있는 것이다.

지면상 그 많은 작품들을 일일이 보이면서 설명할 수 없는 아쉬움 속에 글을 맺으며 근대조각에 발자취를 남긴 세계적인 오귀스트 로댕 미술관에서 로댕 작품의 섬세함과 정교함으로 때로는 이성적이면서 때로는 관능적인 모습을 전해 주고 있음을 보고 큰 감명을 받은바 있었음을 들추어 본다.

비겔란 조각 작품과 로댕의 조각 작품을 견주어 보았던 나는 우리나라 조각가들의 작품세계에 대해 여러 가지 생각을 하게 된다.

리치몬드공원에서

글 사진 **장 민 숙**

　　영국에 와서 삼십년 가까이 살면서 이곳을 알게 된 것이 무척 기쁘다. 리치몬드 공원(Richmond Park)공원은 17세기 비운의 왕 찰스1세에 의해서 만들어졌다. 런던 외곽의 Thamesevally 언저리 London

Borogh of Richmond upon Thamese에 자리하고 있고, 런던
의 Royal Park 중 가장 큰 약 1,000ha의 크기를 자랑한다. 1ha가
3,000평 정도 된다고 계산을 해도 놀랄 만한 규모이고, 좀 더 친절한
설명을 더한다면 미국 뉴욕의 자랑거리인 센트럴파크(Central Park)의
3배 정도 된다고 생각하면 그 위용을 상상하기가 조금은 더 쉬워지지
않을까 한다.

　수도 런던에는 이보다는 작지만 자랑할 만한 공원 아니 녹지는 여러
곳이 있고 영국 사람들의 여유로움은 근거리에 있는 자연공원과 그 공
원을 사랑하고 즐기는 그들의 삶의 모습 안에서 찾아 볼 수 있다고 하
겠다.

　리치몬드공원을 가로 지르는 길들의 끝에는 여러 개의 출입구가 있
다(Kingston gate, Richmond gate, Ham gate, Sheen gate, Roehampton gate,
Robinhood gate, Petersham gate…) 사람들은 걸어서 또는 차로 공원을
들어서고 바로 만나게 되는 무성한 고사리 군집을 마주하게 된다.

　또, 그 사이로 수 백 년 수령의 커다란 고목들이 사람들의 시야를 넓

게 이끈다. 완만한 언덕과 평지의 많은 나무들과 풀밭, 문득 문득 눈에 띄는 개울과 반가운 사슴들의 무리, 공원에는 700여 마리의 사슴들이 살고 있고 공원의 원주인처럼 느긋하고 평화롭게 오가는 사람들을 맞는다.

천적 없는 그곳에서 사슴들은 개체수를 늘려 왔고 이 공원이 사람들이 사는 마을의 한가운데 있는 곳이란 걸 잠시 잊게 한다.(몇 년 전부터는 늘어나는 사슴들의 숫자로 인해 생태계 안정을 위해서 매년 11월에서 다음해 2월 사이에 200마리 정도의 사슴들이 허가받은 포수들에 의해서 사냥된다. 이를 deer culling이라고 한다.)

물론 사슴만이 아니라 여러 야생 동물들이 공원에 살고 있다. 다람

쥐, 비버, 토끼, 고슴도치, 뱀은 물론 딱따구리, 올빼미, 박쥐 물론 매의 일종인 황조롱이 등 다양한 종류의 새들도 서식하고 있다.

그러나 그들도 때때로 자동차에 의해 사고를 당하거나 산책을 온 사람들이나 이들을 따라온 반려견에 의해서 공격을 당하기도 하는데 무엇보다 안타까운 이야기는 버려진 플라스틱 등의 쓰레기를 먹고 고통을 받고 있다는 이야기들이 간간히 들려 오니 참으로 서글프다.

사람들은 드넓은 공원 안에서 다양한 활동을 한다. 산책이나 달리기는 기본이고 자전거 타기, 골프, 승마, 럭비경기까지 하며 Pen pond에서는 허가받은 사람들에 한해서 6월 중순에서 다음해 3월 까지는 낚시도 가능하다.

이제 공원 안으로 들어가 본다.

리치몬드 공원에 봄이 오면 몇 백 년은 됨직한 아름드리 밤나무와 상수리나무가 밑동부터 물을 머금고 녹색으로 변하는 모습이 서서히 드러난다. 좀 더 깊은 봄이 되면 푸른 잎을 다투어 내놓고, 눈이 가는 어디에나 흰색의 스노우드롭과 보라색의 크로커스, 노란색의 수선화가 가득해진다.

그리고 향기를 눈으로 보여주듯 피어나는 벚꽃들이 가지에 가득하

게 되면 봄은 그 절정이다. 어느 봄날, 공원을 찾았을 때 산들바람이라도 불어 와주면 1초에 8센티만큼 떨어진다는 벚꽃 잎이 가벼운 비처럼 머리 위로 어깨 위로 내려앉고 나를 영화의 주인공으로 만들어준다. 그리고 공원 안의 또 다른 공원인 이사벨라 플랜타티온(Isabela plantation)에서는 철쭉꽃(evergreen azalea)의 군무가 5월까지 펼쳐진다.

여름의 공원 역시 특별하다. 짙푸른 나뭇잎들과 그 이파리 하나하나에 불어드는 바람이 햇빛과 만나서 수많은 잎들을 반짝이게 하며 마치반사되는 낱개의 거울처럼 황홀하게 빛난다. 영국의 여름 햇볕은 다정하고 부드럽다. 그래서 사람들은 거침없이 해를 향해 나아가고 풀냄새를 맡으며 마음껏 즐기게 된다. 어느 날 여름의 건조한 공기를 적시며비라도 오시는 날이면 공원은 또 다른 그림, 즉 그윽함을 내어놓는다.

한낮 2시 반에는 새로이 구워 내어 놓는 따끈한 스콘(scone)에 부드러운 클로티드 크림(Clotted cream)과 딸기잼을 발라서 차(tea)와 함께즐기는 다른 즐거움도 있다. 공원에 있는 유명한 팸브룩 롯지(Pembroke Lodge)에서. 공원 안에는 10채의 역사적 건물들이 있는데 그 중에 50

여 년 전부터 사람들에게 공개되어 사랑받는 Georgian Tea room 팸 브룩 롯지는 19세기 영국의 수상이었던 존 러셀(John Russell)의 집이었 으나 이제는 공원을 찾는 많은 사람들의 휴식 공간이자 개인적인 파티, 결혼식장 등으로 임대되고 있다. 팸브룩 롯지는 공원에서 가장 높은 곳 에 위치하여 템즈강 어귀를 내려다 볼 수 있고 눈이 가는 어느 쪽으로 도 장관을 이루는 경치를 선물한다.

롯지의 뒷정원으로 발을 내딛는 순간 내려다보이는 언덕 아래로 펼 쳐지는 크고 작은 나무들이 만드는 실루엣은 겹쳐진 구름들처럼 우아 하게 드러난다. 볼 때 마다 느끼지만 비슷한 듯 다른 듯 다양한 모양의 고목의 색들도 어쩜 그리 잘 어울리는지 감탄이 절로 나온다. 멀리 보 이는 집들도 하늘빛과 나무숲에서 뿜어나오는 녹색의 편안함과 집들의 벽돌색이 주는 따스함이 편안함을 더해준다. 마치 무채색의 필터를 끼 워 분위기를 살린 프랑스 영화의 롱숏(long shot)처럼 아주 천천히 눈에 서 머릿속으로 가슴으로 그 평화가 내려앉는다.

가을이다, Autumn. 한국에만 가을이 있는 것이 아니라 영국에도

가을이 있다. 물론 아름답기까지 하다. 리치몬드공원의 가을은 처음엔 천천히 시작했다가 어느 순간 온통 모두를 채워버린다.

꽃은 꼭 봄에만 피는 것은 아니다. 각기 다른 종류의 나무들은 마지막 정열로 잎을 붉게 또 노랗게 물들여 꽃처럼 아름다운 단풍 그림을 만든다. 그 아름다움은 손끝이 아닌 저 멀리에서 보여지기에 더한 행복을 주기도 한다. 딱히 어느 색이라 단정할 수 없는 영국 단풍의 조화는 화려하기보다 은근하다.

무엇보다 리치몬드공원은 사람들과 함께 완성된다. 그곳에서 나와 자연을 배경으로 마주한 사람들과 눈을 맞추게 하고, 그 사람의 등 뒤로 이어진 공원을 또다시 즐기게 되는 것이다. 나는 공원에 가면 차를 세우고 산책로를 걷는데 곳곳에 나무의자들이 놓여 있다. 벤치들은 리치몬드공원을 사랑했던 사람들이나 그 사람들을 사랑한 사람들에 의해 기증된 것들로, 그들의 영혼이 언제고 돌아와 행복했던 기억들을 추억하리라 믿는다.

바람과 비와 시간들이 스쳐간 나무의자들은 팔걸이라도 한 번은 쓰다듬고 싶도록 정겹다. 누구라도 넉넉히 받아줄 것 같은 휴식이 거기에 있다.

공원에는 천천히 걸으며 시간을 길게 쓰는 사람들의 흔적들이 있다. 나는 그곳에서 팽팽하게 잡아당겨진 나의 시선을 풀어주고, 늘 두근거리듯 황망한 내 가슴에 바람이 통하게 한다.

1분, 1시간, 하루, 1달, 1년 지나간 시간 중에 나이 들어가는 나를 지켜볼 수는 없지만 어느새 나는 그 시간들만큼을, 그리고 그날들만큼을 머금은 사람으로 변해있다. 언젠가는 이전의 사람들이 그랬듯이 이 자리에 서 있던 나도 비워질 것이다.

이제 겨울이다. 겨울엔 펨브록 롯지 아래의 오솔길을 걷는다. 이때는 일행 없이 혼자 걷는 것이 제격이다. 한 철의 의무를 다하고 시들어버린 잡풀들 사이로 누군가가 걷고 또 걸어서 만든 작은 오솔길을 따라간다. 고개를 들어 어딜 봐도 스산한 나뭇가지에 그저 매달린 나뭇잎

들이지만 그 작은 오솔길이 나를 천천히 이끈다. 나 역시 그 길을 따라 걸으며 나를 지탱하고 이끄는 두 다리, 두 발을 내려다볼 뿐이다. 굳이 멀리 볼 필요도 없고, 달음박질치기엔 좁고 불편한 그 오솔길에 감사하며 걷는다. 오른발이 그리고 왼발이 한 번에 한 번씩 번갈아 딛게 하는 그 방법이 마냥 좋을 뿐이다.

영국의 공원은 사람들을 숨 쉬게 한다. 무엇을 하게 하는 곳이 아니라 스스로 자신을 느끼게 하는 공간이다. 각자의 일. 직업적으로 하는 일이든 생활이 주는 일이든 그저 무엇도 하지 않고 사람들 사이에서 부딪치는 모든 일을 잠시 접게 하는 공간이다. 온전히 자신을 느끼는 곳이라 나는 생각한다.

모라비아 지방 방문기

-체코

글·사진 **전 효 택**

호르니 광장에 있는 성삼위일체 석주(올로모우츠의 랜드 마크임)와 뒤의 시청사.

작년 7월 하순 체코 모라비아(Moravia) 지방을 방문하였다.

체코 하면 보헤미아 지방의 프라하를 떠 올릴 정도로 프라하는 한국인에게 인기 있는 관광지이나 모라비아 지방은 비교적 생소한 지역이다. 보헤미아 지방은 체코의 서부를 지칭하며, 모라비아 지방은 동부에 위치하고 체코 전체 면적의 30% 이내이다.

프라하를 출발하여 과거 은광산 도시인 쿠트나호라를 거쳐 스메타나의 고향 리토미슐을 지나 모라비아 지방의 올로모우츠에 도착하였다. 올로모우츠(Olomouc)와 텔츠(Telc)는 모라비아의 대표적인 아름다운 도시이자 마을이다.

1. 올로모우츠

올로모우츠는 중세 도시이다. 프라하 다음으로 중세 건축물이 많으며 그리스 로마 신화를 토대로 한 분수 도시이다. 모라비아 지방의 700여 년간 수도였고, '모라비아 천년의 영적 중심지' 라 칭할 정도로 가장 인상적인 종교적 구조물들이 역사를 구성하며 특별한 경외감과 영적 힘이 고취되는 도시이다.

도시를 대표하는 호르니 광장에 랜드 마크인 성삼위일체 석주(35m 높이, 1716~1754)와 시청사(1378)와 탑(1607)이 있다.

석주는 유네스코 세계문화유산으로서 18세기 초 흑사병이 퇴치된

시청사

시청사 벽에 설치된 천문시계.

시청사 앞에 설치된 도시 입체 모형. 모형 중앙의 호르니 광장에 성삼위일체 석주와 시청사.

것을 기념하기 위해 세워진 것으로 중부 유럽에서 볼 수 있는 석주 중 가장 아름답다고 한다.

청사 앞에는 동판으로 제작된 이 도시의 입체 모형이 있다.

호르니 광장에 도착한 시각이 늦은 오후였는데도 여전히 햇빛은 강하였으나 그늘에 들어서면 땀이 식힐 만 하였다.

이 도시에는 그리스 로마 신화를 토대로 한 7개의 분수가 있다. 그 중에 호르니 광장에는 3개의 분수, 즉 헤라클레스 분수, 아리온 분수, 카이사르(시저) 분수가 있다.

이 도시를 대표하는 고딕양식의 성 모리츠 성당(1412~1530)이 있는데, 이 성당에는 모라비아에서 가장 큰 파이프 오르간이 있다.

올로모우츠는 모차르트가 교향곡 6번을 작곡한 곳으로 알려져 있다. 아르누보 양식의 대표적 화가인 알폰스 무하(1860~1939)가 이곳 모라비아 출신이다. 남부 모라비아 지방은 체코 와인 생산량의 대부분

3개의 분수대

(96%)을 생산하는 비옥한 옥토지역이다.

　'여행자가 느리게 걸을수록 여행길에 숨겨진 비밀들은 더욱 환하게 들어난다.'

　이 도시에서는 많이 걸어야 많이 보기에 튼튼한 다리가 필수로 느껴진다.

　호르니 광장에는 중세시대의 고딕 르네상스 로마네스크 바로크 로코코 등 다양한 양식의 건축물들이 자리 잡고 있다. 이곳은 아직 한국이나 일본 관광객들이 드문 장소이다.

　숙소 앞의 공원으로 아침 산보를 나갔다. 공원 이름은 체코 공원, 숙

체코 공원 길 끝의 스메타나 다리와 공원 주변의 주택.

올로모우츠에서 텔츠 가는 도중에 보이는 전원지역.

소에서 공원길을 가로 질러 가면 호르니 광장의 석조까지 걸음 거리이
다. 체코공원은 스메타나 다리를 경계로 스메타나 공원과 연결된다. 아
침의 맑은 공기와 더불어 공원 주변의 주택이 아름답다. 또 다시 이런
곳에서 독서하며 글을 쓰는 생활을 하고 싶다는 욕망이 오른다.

2. 텔츠

올로모우츠의 숙소에서 오전 9시경 출발 텔츠 도착에 3시간 반이
걸렸다. 오는 도중의 전원과 작은 마을들이 인상적이다. 텔츠는 체코의
남부에 위치하며 비엔나와 프라하를 잇는 도로의 중간 지점이다.

텔츠 성으로 들어가는 입구이며 좌측으로 연못이 있다.

자하리아스 광장에서 보이는 르네상스와 바로크 양식의 건물들.

텔츠는 '모라비아의 진주' 라 불리는 12세기 중세 작은 마을이다. 이 마을은 유네스코 세계문화예산에 등재되어 있고(1992), 3개의 연못에 둘러싸여 있는 동화 같은 마을이다.

성 안으로 들어서면 자하리아스 광장이 펼쳐지며 광장 주위로 르네상스와 바로크 양식의 건물들과 각종 노점상들이 자리 잡고 있다. 광장에는 시청 건물(1992 유네스코 세계유산), 고딕 양식의 성(16 세기 후반), 높이 60m의 첨탑이 있는 성 야고보 교회(16세기 중기), 예수 이름 교회 및 마리안 석주가 있다.

광장 안 주변으로 보이는 건물들도 아름답지만 광장에서 좁은 골목으로 나가 우리키 연못 위의 벨프스카 다리로 건너가서 바라보는 텔츠의 높은 건물들— 두 개의 첨탑 교회를 중심으로 분홍색 지붕과 흰 벽

자하리아스 광장 북쪽의 좁은 골목길로 연결된 우리키 연못 위의 벨프스카 다리로
건너가서 바라보는 텔츠의 높은 건물들— 2개의 첨탑 교회를 중심으로 분홍색 지
붕과 흰 벽의 조합—과 수면에 비치는 모습.

의 조합과 수면에 비치는 모습이 절경을 보인다.

텔츠는 중세 분위기를 보이는 인류의 고전적 걸작이라고 평할 정도
로 아름답고 역사적 풍치를 보인다.

텔츠를 둘러싸고 있는 호수가 절경이다. 거울 같은 수면에 비치는 하
늘과 주변 건물의 잔상은 물과 하늘이 어우러진 풍경이다. 호수에 비치
는 햇빛은 거울처럼 반짝이며, 호수와 그 색채는 서정적 분위기를 물씬
풍긴다. 체코하면 보헤미아 지방의 프라하와 체스키크룸로프에 익숙해
있는 나에게 보헤미아 지방은 또 다른 매력의 중세 문화를 보여 주었
다. 체코의 중세 역사와 유적 수준에 감탄하면서 …….

하늘 마을
-모토분

글·사진 전 효 택

모토분 전경(사진 인용; Radisic, 2008, 〈Istria〉. 115쪽).

작년 7월 초 시간이 멈춘 하늘 마을 크로아티아 모토분(Motovun)을 찾았다.

모토분은 아드리아 해 연안 이스트리아 반도의 중부 내륙 미르나 유역에 위치한다. 이 반도는 생긴 모양이 사람의 심장 모양이고, 면적은 3,600 평방킬로미터로서 서울 면적의 약 6배이다. 이 반도는 크로아티아의 가장 북서쪽에 위치하며 슬로베니아와 국경을 맞대고 있다.

나는 지난 2010년 12월 학술회의 참석차 아드리아 해 연안의 슬로베니아 포르토로즈와 피란에 일주일 머무르며 해안 남쪽으로 보이는 이 반도를 알게 되었다.

일반적으로 이스트리아 반도하면 아드리아 해 연안의 해안 도시들, 예를 들면 로빈이나 풀라가 관광지로 잘 알려져 있다.

나는 7년 만에 슬로베니아의 피란을 다시 방문하며 모토분을 찾게 되었다. 이스트리아 반도는 해변 도시 이외에도 반도 내륙의 아름다운 언덕 마을들, 오랜 석조 빌딩과 예술 작품들, 언덕 위에서 내려다보이는 완전 녹색의 와인이나 올리브 농장 등이 역사와 함께 장관을 보이는 지역이다.

모토분은 최근까지도 잘 알려지지 않은 작은 마을이다(면적 32 평방 킬로미터, 인구 천명 이내). 해발 277미터의 언덕에 위치하고 있다.

관광 안내서에 의하면 '만약 당신이 시간이 별로 없고 이스트리아 반도 내륙 지역에서 전형적인 마을을 보고 싶다면 모토분을 보라.' 고 추천한다. 모토분은 일본의 에니메이션 작가 미야자키 하야호의 〈천공의 섬 라퓨타〉의 모델이 된 곳이다.

모토분 마을까지는 언덕 아래 주차장에서 무료 셔틀버스로 마을 입구까지 오른다. 입구에서부터는 좁은 골목길을 따라 십여 분 걸어 올라간다.

골목길로 들어서자 반질반질한 돌바닥과

모토분으로 오르는 골목길

성벽 입구 상부에 베니스의 영향을 받은 사자상

2~3층의 가옥들이 오랜 마을에 들어왔음을 느끼게 한다. 골목길을 따라서 와인 시음 상점과 기념품 상점이 즐비하다.

성벽 문으로 들어서면 갑자기 중세마을에 들어선 듯한 기분이 든다. 출입문 상부 암벽에 베니스의 영향을 받은 사자상이 보인다.

이 성벽은 14세기 베니스 인들이 쌓은 것이라 하며 성벽 길을 따라 멋진 주택과 순 녹색의 전원 풍경을 조망할 수 있다.

모토분은 유럽의 중세도시 '베스트 10'에 들어갈 정도이고 신혼여행지로 유명하나 한국에는 잘 알려져 있지 않다.

'땅에서 나는 다이아몬드', 또는 '버섯의 여왕'이라는 송로버섯의 세계 3대 생산지로 유명하며 올리브 오일, 와인도 인기 있는 상품이다.

모토분은 구름이 낮게 내려 앉아 언덕 밑둥을 휘감는 날이면 마치 하늘 위에 떠있는 듯 신비한 모습을 보여 '하늘 마을'이라고 한다.

대부분의 오래된 유럽 마을들이 그렇듯이 언덕의 최상부에는 성당과 종루가 높게 보인다.

마을 중앙의 안티코 광장에는 이탈리아의 16세기 천재 건축가 '안드레아 팔라디오'가 설계한 바로크 양식의 성 스테판 성당과 종루가

마을 중앙의 안티코 광장에는 이탈리아의 16세기 천재 건축가 안드레아 팔라디오
(Andrea Palladio, 1508~1580)가 설계한 바로크 양식의 성 스테판 성당과 종루가 있다.

있다. 테라스 식 야외 카페 테이블이 넓게 자리 잡고 지는 해를 만끽할
수 있게 되어 있다.

최근 몇 년 사이에 모토분에서 매년 인기 있는 국제영화제가 여름에
열려 더욱 유명해지게 되었다 한다.

카페의 테라스나 성벽 길에서 내려다보면 언덕 아래로 순록의 올리
브 밭과 포도밭이 펼쳐져 있다. 성벽 아래 언덕 사면을 따라 주황색 지
붕의 주택들이 빙 둘러 가며 자리하고 있다.

카페 테라스와 성벽 길 아래로 주황색 지붕의 가옥과 넓은 전원 풍경이 펼쳐진다.

어떤 여행 작가는, "세상의 모든 시계가 멈춰 버리는 듯했다." 라고, 또는, "안개를 거느리고 언덕 꼭대기에 앉은 모토분 마을은 먼발치에서 보면 마치 천공의 섬처럼 신비한 모습이다." 라고 표현하고 있다. 나도 이 마을에 들어서는 순간 시간을 잊어 버렸다.

성벽에서 언덕 아래로 펼쳐진 순 녹색의 전원과 쏟아지는 햇살은 마치 시간이 멈춘 듯 평안함을 느끼게 하였다. 아무 소리도 들리지 않는 적막함은 나를 마치 낙원에 와 있는 느낌이 들게 했다.

이렇게 평화로운 곳에서 1주일 아니 1달간 머물면서 책을 읽고 글을 쓰며 현지인처럼 살 수 있다면 얼마나 좋을까 생각했다.

"앞으로 이곳을 다시 올 수 있을까?" 자문하며 아쉽게 모토분 마을 골목을 내려오던 기억이 아직도 생생하다.

빨간 루비의 교훈

글 조 희 완

나는 대구에 있는 대건고등학교를 졸업한 후 재수를 하여 1968년 1월 21일 육군사관학교 28기로 가입학했다. 우리가 가입학하던 날은 우연하게도 북한 무장공비 김신조 일당이 청와대를 습격하기 위해 남파된 날이기도 했다.

그날부터 우리는 40일 정도 동물훈련(beast train)이라고 하는 기초군사훈련을 받고서야 비로소 정식으로 입학을 했다.

김신조 일당 때문인지 군에서는 '지옥의 묵시록'을 연상케 할 정도로 군사훈련을 강화하기 시작했다.

그 때부터 시작된 4년간의 육사생도 생활은 정말 내 인생의 '암흑기'(나중에는 물론 그것이 오히려 '황금기'가 되었지만)와 같은 시련의 연속이었다. 하급학년 때에는 우선 육체적으로 민첩하지 못했던 체력 때문에 '얼차려'를 다른 동기생들보다 2,3배는 더 많이 받아야 했다.

조 희 완 **47**

게다가 대다수의 학과 과정이 이공계 위주로 되어 있어서 그 분야에 재능이 없었던 나로서는 제대로 적응하기조차 어려웠다. 학교의 규칙과 상급생도의 명령에 따라 기상과 취침을 해야 하는 생도생활의 특징을 고려할 때 내가 얼마간의 노력을 더한다고 해서 그 문제가 쉽게 해결될 수 있는 것은 아니기 때문이었다.

청소년 시절을 낭만적으로 살아왔던 내 성격상 상급생도의 명령에 절대 복종해야 하는 생도생활은 나를 더욱 힘들게 했다. 1학년 때는 몇 번씩이나 퇴교라도 해버리고 싶은 욕망이 가슴을 짓누르고 있었지만 그때마다 고향에 계시는 부모님 생각 때문에 그렇게 할 수도 없었다. 부모님은 한참 젊은 나이에 육사 교복을 입고 있는 내 모습을 항상 대견스럽게 느끼고 계셨기 때문이다.

그래서일까. 조금만 더 참고 견디자고 다짐을 하면서 학과과정을 충실이 이행해 나갔다. 그런 인고의 세월은 상급학년으로 올라가면서 점차 회복되어 갔고 마침내 1972년 3월에 육사를 졸업하게 되었다. 그때 나는 빨간 루비의 졸업 반지를 받았다. 육사 졸업생에게 주어지는 기념 반지였다. 그 반지를 바라보는 감회는 남다를 수밖에 없었다. 수차례나 자포자기를 극복하고 얻어낸 반지였기에 더욱 그랬을 것 같다. 나와 그 반지와의 인연은 그것이 제1막이었다.

그러나 나에게 또 다른 제2막이 기다리고 있었다. 나는 포병소위로 임관하여 전방지역에 있는 제6사단 포병부대에 배치되었다. 그해 7월 경 부대훈련을 위해 관측장교의 임무를 띠고 전방고지에 있는 OP(관측소)에 올라가 관측훈련을 마치고 부대로 복귀하는 길이었다.

완전군장을 한데다 날씨도 무덥고 땀도 많이 나고 해서 어디 시원한 곳이 있으면 좀 쉬었다 가고 싶은 심정이었다.

마침 산골짜기를 내려오다 보니 큰 개울이 하나 있었다. 물도 제법 흘러서 깊은 곳은 허리정도까지 찰 정도로 멱감기(목욕)에는 아주 안성맞춤이었다.

나는 군장을 내려놓고 옷을 벗고 개울에 들어가 한 30분정도 멱을 감고 나왔다. 다시 옷을 입고 군장을 메고 산을 내려가려는 순간 나는 손가락에 끼어져 있던 반지가 없어진 것을 보고 깜짝 놀랐다.

값으로 따지면 당시 3만 원 정도 밖에 되지 않았지만 나에게는 보물 1호와도 같은 애지중지한 반지이었기 때문이다.

그래서 옷을 벗고 다시 물속에 들어가 1시간가량을 흐르는 물속에서 돌을 이리저리 옮겨가며 반지를 찾아보았다. 결과는 허사였다.

물속에서 나와 군장을 메고 다시 산을 내려가고 있었는데, 한 30분 정도 걸어갈 때 쯤 온갖 생각이 머릿속을 스치고 지나갔다.

이제 막 직업군인의 길을 시작하는 나에게 무슨 불길한 징조가 아닌가 싶었다. 더 이상 부대를 향해 걸어갈 수가 없었다. 그래서 다시 반지를 잃어버린 개울로 올라갔다.

다시 옷을 벗고 물속에 들어갔다. 또 1시간가량을 찾아보았지만 이번에도 헛수고였다. 다시 옷을 입고 부대를 향해 산을 내려갔다.

약 30분 정도를 내려가다가 이건 아니다 싶어서 또다시 그곳으로 되돌아갔다. 다시 1시간 가량을 물속을 헤집고 다녔다. 무려 3시간 이상을 그렇게 반지를 찾는데 온 정신을 다 쏟았다.

그러나 나의 간절한 소망은 실망으로 끝나 버리고 말았다. 이제는 어쩔 수 없다는 생각이 들었다. 힘없이 옷을 걸쳐 입고 주위에 있는 바위에 걸터앉아 조용히 기도했다.

"하나님! 제가 육사를 어렵게 졸업하고 이제 임관한 지 몇 달 만에 또 이렇게 큰 실망을 안겨준 사건이 일어났습니다."

그 때 불현듯 내 머릿속에 이런 생각이 스쳐갔다.

"다시 들어가 돌 10개만 더 치워보자 그래도 안 되면 그때는 포기하자" 라고 말이다.

다시 물속에 들어갔다. 하나씩 돌을 옮겨 가면서 정성을 다해 여기저기를 세심하게 찾아보았다.

그런 정성이 하늘에 닿았는지 마음먹은 10개의 돌을 다 치워가는 순간 흐르는 물결 속에서 불그스레한 색깔이 희미하게 보이는 것 같았다.

나는 설레는 마음으로 조심조심 붉은 빛깔 위에 손을 올려 보았다. 그 순간 내가 그토록 애타게 찾던 그 반지가 내 손에 잡혀 들어왔다.

그때 내 기분은 무슨 말로도 표현할 수 없을 만큼 감회가 새로웠다. 마치 다시 태어난 기분이었다.

그 사건은 지금까지도 나에게 강력한 교훈이 되고 있다. 그 어떤 어려움이 있더라도 결코 포기해서는 안 된다.

또 힘들고 어려워도 그 순간을 잘 참고 극복하면 반드시 희망찬 승리의 기쁨이 다가올 것이라는 신념으로 말이다.

이처럼 포기하지 않고 참고 기다리는 것이 적극적인 '자기긍정이고, 자기사랑이다.' 라는 그런 믿음이 그동안 나의 가정생활에서, 신앙생활에서, 직장생활에서, 사회생활에서 나를 지탱해준 버팀목이 되어왔다.

내가 가장 힘들고 실망스러웠던 순간들이 오히려 내 삶의 패러다임
(Paradigm)을 바꾸어 놓은 연단의 기회가 되었다는 것을 세월이 한참
흐른 다음에야 비로소 알 수가 있었다. 그것은 실로 나에게 있어서 '코
페르니쿠스적인 사건' 이었다고 해도 지나친 말은 아닐 것 같다.

'빨간 루비의 교훈' 이야말로 미지의 세상을 살아가면서 온갖 고난
과 역경 속에서도 담대한 희망의 등불이 되어 언제나 내 곁에서 용솟
음치고 있기 때문이다.

폼페이 유적

글·사진 조복순

　나라 전체가 인위적인 훌륭한 유산을 담고 있는 이탈리아를 돌아보며 감동과 흥분의 도가니에 빠져들었다.

　그 중 화산재로 뒤덮혔던 폼페이의 이야기를 나누고자 한다.

　폼페이(Pompei)는 나폴리에서 남쪽으로 약 20km 떨어진 곳에 있으며 79년 베수비오 화산이 폭발되면서 도시 전체가 한 순간에 화산재에 묻혀 1,700년간 역사 속으로 사라져 버린 도시였다. 1748년 나폴리왕 카롤로스 3세에 의해 발굴이 시작되면서 잊혀진 도시의 모습이 하나 둘씩 세상에 들어 났지만 아직도 절반 밖에 발굴되지 않았다.

　발굴된 도시에서 보여주듯이 폼페이는 잘 정돈된 도시이다. 모든 길과 건축물이 제대로 된 계획 아래 세워진 듯한 느낌이 들었다. 그 어떤 건물도 중구난방으로 아무렇게나 지어지지 않았음을 볼 수 있었다. 모든 도로는 돌로 견고하게 포장되어 있어 비오는 날에도 흙탕물에 신발이 더러워지지 아니 하겠구나 하는 생각이 들었다. 마차가 다니는 길,

사람이 다니는 길이 잘 구분
되어 있고 건널목 같은 곳도
있다.

도로

어떻게 그 옛날 사람들이
이렇게 거시적 관점에서 생
각하고 도시를 계획 번성시
켰는지 그들의 지혜가 놀랍
다.

화산재에 묻히기 전 폼페이에는 인구 2만 명이나 되었던 도시로 부
유층의 피서지(피한지)였기 때문에 신전, 공공건물, 광장, 원형경기장, 상
점과 호화별장, 윤락가 등 광대한 유적이 남아 있다.

1,700년 전의 도시전체 건축기법과 생활편의시설의 설치 내용은 참
으로 놀라웠다.

직사각형의 폼페이의 공공광장은 주변에 정치, 경제, 종교시설, 등
여러 공공 건축물로 둘러싸인 폼페이에서 가장 핵심적인 광장으로 광
장을 중심으로 아폴로 신전, 공회당 공공건물, 예우마키아 집(직물 만들
고 경매도 하던 곳), 베스파시아누스 신전(황소를 제물로 바치던 곳), 라르 베
브리시 성역(신에게 제물을 바치던 곳), 마철룸(폼페이 식품 시장), 주피터 신전
이 둘러싸고 있다. 당시 얼마나 많은 신을 숭배 했는가를 엿볼 수 있다.

발굴된 아폴로 신전은 48개의 이오니아식 원기둥으로 둘러싸인 대
신전으로 바실리카 맞은편에 있는데 중앙에 있는 본전은 40개의 코린
트의 원기둥으로 둘러싸여 있다.

동쪽에는 활을 쏘는 아폴로의 청동상, 서쪽에는 아폴로의 누이 다

아폴로 신전을 배경으로

이아나 상이 있다. 이곳에 있는 것은 복사품이고 원본은 나폴리 국립 고고학 박물관에 소장되어 있다고 한다.

주피터, 유노, 미네르바 등 3신에게 제사를 지내던 주피터 신전은 베수비오 산을 뒤 배경으로 하고 포럼 광장 남쪽에 위치해 있는데 기원전 2세기에 세워졌다.

야본단차 도로는 폼페이의 메인 도로(주 도로)로 포로광장에서 사르느 문까지 연결되어 있는 폼페이에서 가장 중요한 도로로 포로광장, 스타비안 욕장(목욕탕), 대극장, 이시스 신전, 원형 경기장, 대 체육관 등 모두 이 도로를 따라 위치해 있다. 군데군데 빗물을 피하기 위한 디딤돌을 세워둘 만큼 시민들의 편의를 생각했다는데 감명을 받았다.

주요 상점들(세탁소, 염색 가게, 작업장, 대장간 등)은 고객을 유치하려고 간판을 도로변에 걸고, 유리창에는 선반과 계산대를 배치해 놓았다고 한다.

폼페이에는 로마의 콜로세움보다 먼저 세워진 세계최초의 원형경기장이 있다. 귀족의 후원을 받아 원형극장에서 사냥과 검투사들의 경기가 벌어지곤 했는데 시합을 통해 유명인이 된 검투사는 자유인이 될 수 있었다.

많은 관광객들의 흥미를 불러일으키며 인기가 있는 폼페이의 유일의

원형경기장

매춘굴은 2층집으로 되어 있는데 창녀들이 기거했던 10개의 방이 아래층에 5개, 위층에 5개가 있고, 위층에는 발코니가 있어서 창녀들이 발코니에 서서 손님들에게 손을 흔들며 호객 행위를 했다고 한다.

남근

발굴된 창녀굴 1층 입구에는 자신의 남근을 양손으로 쥐고 무화과나무 옆에 서있는 프리아프스의 그림이 있다.

안으로 들어가면 각방에는 창녀들이 손님을 맞이해 사랑을 나누었던 돌침대가 있고 벽면에는 성애 장면이 그려져 있다. 당시 칼라쿨라 황제는 매춘에도 세금을 부과했다.

1962년 지진이 발생 후 복원한 신흥 시민의 호화저택을 부유한 상인 베티우스 등이 인수했는데 입구에 들어서면 에로틱한 프레스코화가 그려져 있다. 특히 오른편에 옥의 신이 불운을 피하고 번영을 찾는 염원으로 자신의 남근과 화폐가 든 자루를 저울에 올려놓고 있는 모습의 그림이 눈에 띈다. 큐피드가 와인과 향수를 조합하고 있는 벽화에는 '폼페이의 붉은 빛' 이라는 주홍색이 남아 있다.

파우노의 집이라고 하는 상류층의 호화저택은 이탈리아 헬레니즘의 방식으로 지어진 주택으로 폼페이에서 가장 규모가 크고 세련된 집이며 문지방 위에는 수준 높은 모자이크(알렉산더 대왕과 다리우스의 전투장면)가 있었는데 현재는 국립 고고학 박물관에 보관되어 있다고 한다.

현관 로비에는 코린트식 원기둥을 사용한 신전 같은 제단이 있고 세련된 헬레니즘 작품인 '춤추는 파우노' 의 청동상이 있는데 이것의 원본은 국립 고고학 박물관에 보관하고 있다.

칼라쿨라 황제의 개선문은 비아 디 메리쿠리오 입구에 세워진 것으로 이 문을 통과하면 바로 포로광장(공공광장)으로 연결된다.

이 개선문은 조각난 채 발굴된 황제의 청동기마상을 볼 때 칼라쿨라 황제를 기념하기 위하여 세워졌을 것으로 짐작이 된다.

1,700여 년 전 욕장(목욕탕)의 생활모습을 추론해 볼 수 있는 유적 포로 욕장을 보면서 당시의 생활이 부유했음을 짐작하고도 남음이 있다.

포로 욕장은 스타비아 욕장을 기초로 하여 지은 곳으로 욕장은 남

녀노소를 불문하고 만남의
장소로 자유롭게 이용되었
던 곳이라고 하며, 남성용
여성용은 서로 칸막이로 막
았고 양쪽에 더운 물과 증기
를 제공해주는 프레퍼늄을
사이에 설치했다.

욕장(목욕탕)

원형 냉수 욕탕은 성인남자 4명 정도가 들어갈 수 있을 정도로 크
고, 사우나 등이 남아 있다. 바닥의 모자이크는 당시의 것으로 아름답
다. 욕장 근처에는 주점이 있었다고 한다.

유적을 돌아보며 당시 폼페이 시에서 얼마나 부를 누리며 나아가 환
락과 사치로 부패된 생활을 했는가를 생각하였으며, 때문에 시 전체가
화산재에 뒤덮혀 1,700여 년을 역사에서 단절되어야 하는 벌을 받
는 것이 아닌가 생각하며 쓸쓸히 발걸음을 돌렸다.

국내관광의 명소 단양 청풍

글·사진 芝堂 이 흥 규

도담삼봉

보성군 종회에서는 종회장이 바뀔 때마다 종원들 간의 화합과 친목을 위해서 연례행사로 숭조돈종(崇祖敦宗)기행을 추진하고 있다. 이야말로 한 선조의 자손들이 실천해야 할 가장 숭조하는 행사요, 돈종할 수 있는 기회로 자손들 간에 정을 나누고 선조를 기리며 숭앙하는 의미 있는 행사다.

아침 8시 주차장에는 일가들 간에 서로 반가운 인사들로 만면에 웃음꽃이 피고 모두 즐겁고 화기 넘치는 표정들이다. 바로 이 분위기다.

자손들의 이러한 분위기를 선조님들께서 내려다보신다면 얼마나 흐뭇해하시겠는가?

앞전 여행 때 한방에서 숙식했던 분이 옆자리에 앉아 정담을 나누는 사이 차는 어느새 여주를 지나고 있다.

어제 내렸던 비가 그친 뒤 날씨마저 맑아 차창 밖으로 보이는 신록의 아름다움이 더욱 곱고 싱싱하다. 서울의 버스가 도담삼봉 주차장에 도착한 시간이 11시경, 지방에서 올라오는 버스는 12시가 넘어야 한다고 하여 도담삼봉과 석문을 답사하였다.

1. 도담삼봉(嶋潭三峰)과 정도전

충청북도 단양군 단양읍 도담리 남한강 상류 한가운데에 3개의 기암으로 이루어진 섬을 일컫는다. 강원도 정선과 평창을 지나온 동강(東江)이 영월에서 서강(西江)과 합류하여 남한강(南漢江)으로 이름이 바뀌고 충북 단양에 이르러 강줄기가 S자를 그리며 돌아가는 곳에 3개의 바위가 마치 부표처럼 떠있는데 그 중에서도 가운데 봉우리의 중턱에 자리한 정자 삼도정은 이 풍광의 절정이다.

3개의 봉우리 중에서 가운데가 남편봉이고 양 옆이 처봉과 첩봉이라고도 한다. 이 도담(섬이 있는 호수)삼봉(세 봉우리)은 정선에서 떠내려 왔다고 하여 부래(浮來)바위라고도 하며 다음과 같은 전설이 전해진다.

「강원도 정선군의 삼봉산(三峰山)이 홍수에 떠내려 와 지금의 남한강 자리에 있게 되었다. 그 뒤로 해마다 단양군은 정선군에 세금을 냈다. 그러던 중 한 소년이 "우리가 삼봉을 정선에서 떠내려

오라 한 것도 아니요, 오히려 물길을 막아 피해를 보니 아무 소용
도 없는 봉우리에 세금을 낼 이유가 없다. 필요하면 도로 가져가
라."라고 한 뒤부터 세금을 내지 않게 되었다.」

이 설화에 등장하는 총명한 아이를 정도전이라고 하며 어머니 우씨
부인의 친정인 외가가 도담리로 이곳에서 태어나고 자랐다. 우리 조선
의 개국공신 정도전은 도담삼봉이 마주보이는 곳에 좌상이 세워져 있
으며 자신의 호인 '삼봉'을 도담삼봉에서 따왔다고 한다.

2. 석문과 마고할미 전설

도담삼봉 주차장에서 100m쯤 가파른 산을 오르면 산등성이 전망
좋은 자리에 굽이돌아 흐르는 강과 도담리 마을, 그리고 강가 절벽을
잇는 다리 도로와 삼봉의 정경이 한 눈에 들어오는 정자가 있고 정자
에서 또 100m쯤 숲속 능선을 돌아가면 홍예모양의 돌문이 산 위에 걸
쳐있다.

이 석문의 왼쪽 아래에는 작은 굴이 하나 있는데 굴속을 들여다보
면 마치 구획정리가 된 논처럼 경계가 지어진 암석에 물이 담겨져 있다.
사람들은 이를 두고 신선이 농사를 짓던 논이라 하여 '선인옥전(仙人沃
田)'이라 부르며 다음과 같은 전설이 전해 내려온다.

"아주 먼 옛날 하늘나라에서 물을 길러 내려왔던 마고할미가 비
녀를 잃어 버렸다. 마고할미가 비녀를 찾기 위해 석문 밑을 긴 손톱
으로 마구 파헤쳤다. 이때 만들어진 것이 선인옥전인데 아흔아홉

마지기나 되었다. 마고할미는 주변 경치가 하늘나라에 버금가는 이곳에 눌러앉아 평생 농사를 지었는데 수확된 곡식은 천상의 양식으로 썼다고 한다."

석문

석문 주변에는 천연 기념물인 측백나무가 깎아지른 절벽 위에 자라고 있는데 석문에 막혀 위로 자랄 수가 없어 강을 향해 기울어져 있다.

3. 퇴계와 두향이의 사랑

석문을 보고 내려오는데 봉재 종현이 내 옆구리를 툭 치면서 "두향이가 정자에서 기다리고 있으니 얼른 가보시오." 하고 농을 건다.

만난 지 얼마 되지는 않았지만 스스럼없이 농을 걸 수 있는 사이가 된 것이다. 이러한 분위기가 바로 돈종인 것이다. 그리고 숭조로 이어지는 것이다.

이곳은 조선 최고의 학자인 퇴계 이황(1501~1570)과 두향이의 아름답고도 슬픈 사랑의 무대이며 두향이가 잠들어 있는 곳이기도 하다.

퇴계가 1548년 정월 단양군수로 부임했을 때 그의 나이 48세였다. 두 번째 부인과 사별한 퇴계가 부임한 지 한 달 만에 둘째 아들 채

(朱)마저 잃고 말할 수 없는 슬픔에 잠겨 있을 때 그 고을 관기였던 18세의 어린 '두향'을 만나면서 운명적인 사랑이 싹텄다.

두향은 퇴계의 학식과 인품에 금방 연모하게 되었고 가족을 잃은 공허한 퇴계의 마음에 파고들 수가 있었다.

두향이도 조실부모하고 16세에 황 초시와 결혼했으나 석 달 만에 남편과 사별한 후 어쩔 수 없이 관기가 되었지만 출중한 미모에 시서와 거문고의 재능이 뛰어난데다가 특히 매화를 좋아해 둘의 사랑은 깊어만 갔다. 이 사랑은 오래 지속될 수 없었다.

퇴계 이황의 넷째 형 이해(李瀣)가 충청도 관찰사로 부임해 형제 동일지역 금지로 퇴계가 풍기군수로 발령을 받았기 때문이다. 떠나기 전날 밤에 주고받은 다음의 시가 전해온다. 퇴계가 먼저,

死別已吞聲(사별기탄성) 죽어 이별은 소리조차 나지 않고
生別常惻惻(생별상측측) 살아 이별은 슬프기 그지없네.

라고 읊으니 두향이가 말없이 먹을 갈고 붓을 들어

이별이 하도 설워 잔 들고 슬피 울 제.
어느덧 술 다하고 임마저 가는구나.
꽃 지고 새우는 봄날을 어이할까 하노라

라고 답했다고 한다. 퇴계와 두향이의 사랑이야기는 후세의 선비들과 정비석 최인호 등 문인들이 작품화하여 널리 알려졌다.

4. 만천하 스카이 워크와 잔도

12시가 조금 넘어 지방과 합류하여 '어부명가'에서 민물잡어 매운탕으로 점심식사를 마친 일행은 차를 타고 〈만천하 스카이 워크〉로 향했다. S자를 여러 개 굽이돌아 오른 산꼭대기에 또 달팽이처럼 몇 바퀴를 돌아 오르면 전망대. 필자는 이 전망대를 오르며 우리나라 사람들은 왜 외래어를 못 써서 안달인가 하고 원망스러웠다. 〈만천하 스카이 워크〉 이 이름을 〈팽이꼭지 전망대〉라 하면 얼마나 좋을까? 하고 생각해보았다.

전망대에서 보는 우리의 산하, 아! 아름답구나. 한 달 전 중국 계림 양삭유람을 하고 왔지만 단양청풍의 아름다움도 그에 못지않다고 생각된다.

특히 날씨가 맑고 시야가 트여 소백산, 금오산 등 1,000m가 넘는 산들이 한눈에 들어오고 그 겨드랑이에 미인봉, 신선봉, 비봉산 등 녹음이 짙어가는 작은 산들이 첩첩이 이어진 사이 사이에 물 맑은 호수와 어우러진 마을들은 가히 낙원처럼 보였다.

우리 일행은 서로 어울려 사진을 찍는다. 꼭 누구를 선택하여 찍는 게 아니다. 보성군 명찰을 가슴에 단 분은 누구라도 함께 어울려 사진을 찍고 나중에 사진을 보며 또 기억하고 소통하는 것이다. 이러한 만남만

만천하 스카이 워크 전망대

호숫가 잔도

이 종중의 친족 간에 우애를 돈독히 나누는 것이리라.

전망대에서 내려온 일행은 약 1km 거리의 호숫가 잔도를 걸으며 정담들을 나누었다. 그가 누구이든 옆에 가까이 걷는 종현이 곧 대화의 상대다. 오후 3시로 한창 더운 시간이지만 맑고 푸른 호숫가를 빙 둘러 깎아지른 절벽의 허리에 만든 나무다리를 걷는 경쾌한 발걸음에 살결을 스치는 신선한 산들바람은 매운탕만큼이나 달콤한 별미였다. 잔도에서 올라와 기다리는 버스를 타고 구인사로 향했다.

5. 구인사의 엘리베이터

전망대에서 내려온 일행을 태운 버스는 구인사를 향해 달린다. 산굽이 물굽이 돌고 돌아 구인사에 당도했다. 구인사는 충북 단양군 영춘면 백자리 소백산록에 있다. 이 지역은 소백산 구봉팔문 중 제4봉인 수리봉 밑 해발 600여m의 고지에 위치해 있는데, 1966년에 창건되었으나 천태종의 개조인 상월조사가 이곳에 자리를 잡은 것은 1946년이었다.

경내에는 초암이 있던 자리에 세워진 900평의 대법당, 135평의 목조 강당인 광명당, 사천왕문과 국내 최대의 청동사천왕상 등이 있다.

지금은 50여 동의 건물이 세워져 있는데, 일시에 수용할 수 있는 인원이 5만 6천명이며, 총공사비 122억 원이 소요된 국내 최대 규모의 사찰이라고 한다.

사실 구인사는 역사가 깊은 절이 아니다. 불과 70여년의 짧은 기간에 이루어진 절간이다. 그러나 규모로만 본다면 우리나라에서 가장 큰 사찰이다. 권력의 힘이 아니면 단기간 내에 이런 사찰이 이루어 질수는 없으리라. 대체로 우리나라의 큰 사찰들은 깊은 산속에 있다 하더라도 반드시 사찰 아래는 넓은 농토가 있기 마련이다. 그러나 구인사는 산골짜기 협소한 부분을 깎아 다듬은 공간에 절을 지었기 까닭에 채소 한 포기 심을만한 농토도 없다. 이곳까지의 도로도 어느 해 눈에 갇힌 육영수 여사가 이후락 씨에게 명하여 공병대가 와서 길을 내었다고 안내원이 일러준다. 우리는 천년의 역사를 지닌 대 가람에서도 볼 수 없는 7층 엘리베이터를 타고 올라가 골짜기를 메운 절간들을 구경하고 내려왔다.

구인사 전경

6. 청풍 유스호스텔

구인사에 주차장에 내려오니 오후 6시 30분이다. 일행은 청풍호 식당에서 청정 한우로 저녁식사를 마친 후 숙소인 청풍 유스호스텔로 향했다. 숙소에서 짐을 풀고 대 강당에 모여 숭조의 예를 올리고 화기 넘치는 분위기 속에서 업재 종현(수박 10통)을 비롯한 몇 분들이 찬조해주신 다과로 목을 축이며 즐겁게 친목의 대화를 나누었다.

이구동성으로 오늘의 보람찬 기행을 계획하고 추진한 수돈 집행부 관계자들의 노고에 찬사를 보내고 앞으로 종원 상호간에 돈독한 우애를 가질 것을 스스로 다짐하는 시간이 마냥 즐겁기만 하였다.

7. 청풍호 관광모노레일

이튿날 아침 7시에 일어나니 안개가 자욱하다. 저녁 내내 호반의 물이 피어올라 산골짜기마다 새하얀 운무로 또 다른 별천지를 이룬다. 아침 식사 후 청풍 모노레일을 타고 비봉산에 올랐다.

거의 45도 각도의 급경사에 각종 잡목으로 우거진 숲 사이를 모노레일은 잘도 거슬러 오른다. 골짜기마다 안개가 가득 끼어 마치 구름 위 하늘나라를 지붕이 없는 기차를 타고 여행하는 기분이다.

내려오는 길에는 그사이 안개가 조금 걷혀 청풍호반의 물이 희끄무레하게 보이기도 한다. 하차장에 내려오니 또 어느 분이 사셨는지 어묵 꼬치를 한 꾸러미씩 권한다. 달콤한 어묵국물로 목을 축이고 청풍 문화재 단지로 향했다.

8. 청풍 문화재 단지

　남한강 상류에 위치한 이곳은 선사시대 문화의 중심지로 구석기시대의 유적이 곳곳에서 발견되었으며 삼국시대에는 고구려와 신라의 세력쟁탈지로 찬란한 중원문화를 이루었던 곳이다. 고려와 조선시대에도 지방의 중심지로 수운을 이용한 상업과 문물이 크게 발달했다.

　1978년부터 시작된 충주 다목적댐의 건설로 제천시의 청풍면을 중심으로 한 5개면 61개 부락과 충주시 일부가 수몰되자, 이곳에 있던 각종 문화재들을 한곳에 모아 문화재단지를 조성했다.

　중요한 문화재로는 청풍한벽루(보물 제528호) 청풍석조여래입상(보물 제546호) 금남루(충북 유형문화재 제20호) 금병헌(錦屛軒:충북 유형문화재 제34호) 응청각(충북 유형문화재 제90호) 팔영루(충북 유형문화재 제35호) 후산리 고가(충북 유형문화재 제85호) 수산지곡리 고가(충북 유형문화재 제89호) 도화리 고가(충북 유형문화재 제83호) 황석리 고가(충북 유형문화재 제84호)

청풍향교(충북 기념물 제64호) 등을 이곳으로 이전하여 보존해오고 있다.

　그중에서 한 건물만 소개하라고 한다면 청풍의 한벽루(보물 제528호)다. 이 건물은 고려 충숙왕 4년(1317)에 청풍현이 군으로 승격되자 이를 기념하기 위해 세운 관아의 부속건물이었다. 1972

한벽루

년 대홍수로 무너진 것을 1975년 원래의 양식대로 복원하였다.

이 루는 석축토단의 자연석 주초석 위에 기둥이 배가 부른 엔타시스 수법을 쓴 층 아래에 기둥을 세우고 마루를 설치하였으며, 정면 4칸 측면 3칸으로 팔작지붕에 주심포계 양식이다.

특히 이 누각이 사료로서 가치가 높은 점은 루의 우측에 정면 3칸 측면 1칸의 맞배지붕으로 된 계단식 익랑(대문간에 붙여 지은 방)을 단 것으로 다른 지방 관청의 누각에서는 볼 수 없는 양식이기 때문이다.

9. 청풍호 유람선

우리 일행은 유람선 선착장으로 향했다. 이제 안개와 구름은 모두 걷히고 끝없이 맑고 푸른 하늘에 5월의 빛나는 태양이 우리를 품어 안는다. 유람선에 올라 배가 출발하자마자 호수 한 가운데에서 우리들을 환영해 주는 듯 분수가 직립으로 솟아올라 마음을 들뜨게 한다.

붉은 색깔로 찬란한 청풍대교를 지나자 아름답고 화려한 구담봉이 거북이처럼 느릿느릿 다가온다. 구담봉은 그리 높지는 않지만 아담한 규모의 봉우리로 부챗살처럼 펼쳐진 바위 능선이 마치 설악산을 닮은 듯하고, 능선 좌우의 기암절벽이 금강산에서 옮겨놓은 것 같은 형상을 하고 있다.

이처럼 아름
다운 구담봉의
모습은 많은
시인묵객들의
시제, 화제의
대상이 되었다.

구담봉

단양의 풍
광에 매료되었
던 퇴계 이황은 구담봉의 장관을 보고 "중국의 소상팔경이 이보다 나
을 수는 없을 것"이라고 극찬했다.

이외에도 이이, 김만중, 김정희 등이 아름다움을 찬양한 시가 전해
지고 있으며 진경산수로 유명한 정선, 이방운 등이 그린 구담봉의 모습
이 산수화로 남아 있다.

구담봉에는 아름다운 풍
광과 함께 흥미로운 이야기
들도 전해지고 있다.

조선 인종 때 백의재상이
라 불리던 이지번이 벼슬을
버리고 이곳에 은거했다. 토
정 이지함의 형인 그는 푸른
소를 타고 강산을 청유하며
칡덩굴을 구담봉의 양쪽 봉

우리에 매고 비학(飛鶴)을 타고 왕래하였다고 한다. 사람들이 이를 보고 그를 신선이라 불렀다는 등 얽힌 전설이 많다.

근래에는 구담봉과 관련하여 옥소(玉所) 권섭(權燮)이 주목받고 있다. 그는 구담봉을 몹시 사랑하여 유언을 남겼고 자신은 물론 두 아내 손자와 함께 이곳에 묻혔다.

권섭은 20세기 말에 이르러 비로소 《옥소 권섭의 시가연구》로 명성이 점차 높아져 단양을 찾은 많은 시인 가운데 최고의 문인으로 평가받고 있다. 다음은 권섭이 구담봉의 아름다움을 노래한 〈황강구곡가(黃江九曲歌)〉다.

구곡(九曲)은 어드메요 일각(一閣)이 귀 뉘러니조대단필(釣臺丹筆)이 고금(古今)의 풍치(風致)로 다저기 저 별유동천(別有洞天)이 천만세(千萬世)인가 하노라

구담봉을 지난 유람선은 유유히 옥순봉을 향해 다가간다. 옛 선비의 기개를 닮은 바위 봉우리 옥순봉(玉筍峯)은 단양 팔경 중에서 유일하게 단양군이 아닌 충청북도 제천시 수산면 괴곡리에 자리하고 있다.

희고 푸른 여러 개의 봉우리가 마치 대나무 싹과 같다고 하여 붙여진 이름으로, 기암으로 이루어진

옥순봉

봉우리의 경관이 뛰어나 소금강이라고도 불린다.

유람선을 타고 선상에서 올려다보는 옥순봉은 가히 장관이다. 기암이 거대한 병풍처럼 펼쳐지면서 충주호와 어우러져 뛰어난 경관을 연출한다.

옥순봉 주변에는 강선대와 이조대가 마주 보고 있는데, 강선대는 높이 15m의 층대가 있고 대 위에는 100여 명이 앉을 수 있을 만큼 넓은 공간을 보유하고 있다고 한다.

유람선이 되돌아올 때 오른쪽 정경만 보느라 그냥 지나쳤던 금오산의 경관에 탄성이 절로 나온다.

기이한 형상의 바위들로 이루어진 금오산의 특이한 점은 바위들이 마치 조각가가 인공으로 깎아서 다듬어놓은 것처럼 아름답다는 것이다.

유람선 3층에서 내려오니 선두 관람석에 수돈 종회장을 비롯하여 재의, 기동 부종회장 등의 일가들이 모여앉아 정경을 즐기고 있었다. 정재 종현님의 옆자리가 비어있어 앉아서 아름다운 경관에 취한 필자는 〈한강수 타령〉의 가사를 개작한 〈청풍호 타령〉이 절로 나온다.

청풍호라 맑고 푸른 물에 유람선 띄워서 에루화 뱃놀이 가

금오산

잔다. (후렴)

　보성군 종회가 숭조 돈종 하려고 유람선 타고서 에루화 정을 나
눈다.(후렴)

　자손들 화목하면 선조님도 좋으시니 형제나 다름없이 사이좋게
지내세.(후렴)

　모두들 후렴이 저절로 터져 나오고 노래가 끝나자 재창을 외치며 박
수소리가 뜨겁다. 이에 필자는 〈태평가〉 한곡을 더 불렀다.

　유람선에서 하선하며 점잖은 대부님이 혹시 젊었을 때 가수가 아니
었느냐고 농을 걸기도 한다.

　유람선에서 하선한 일행은 다래향에서 흑염소 전골로 피로를 풀고
몸보신을 하였다. 돌아오는 관광버스 안에서 연세가 많으신 종현님들도
피로한 기색 없이 모두 활기 넘치는 모습으로 끊임없이 화기애애한 대
화들을 나누는 것을 보니 이번 종중기행이야말로 화목하고 보람찬 여
행이었다는 것을 증명해주고도 남는다.

절경의 한 자락 피요르드

-노르웨이

글·사진 **유 진 순**

피요르드

　노르웨이는 직접 가보지 않고는 설명할 수 없는 대 자연이 만들어
낸 신비의 나라다.

　여행을 하면 할수록 더 새로워지는 나라가 바로 노르웨이다.

이탈리아가 인간이 빚은 역사유산의 나라라면 노르웨이는 신이 빚은 자연유산의 나라라고 나는 감히 말할 수 있다.

대자연을 느끼는 마음 가슴 벅차고 행복했다. 발길을 옮길 때마다 펼쳐지는 동화 속 그림 같은 풍광을 피부로 느끼고 가슴에 닿는다.

피요르드, 그 장엄한 풍광!

'피요르드'는 빙하의 침식으로 만들어진 골짜기에 바닷물이 들어와서 생긴 좁고 긴 만이라는 뜻의 노르웨이 어(語)이다.

빙하가 녹아 만든 U자 모양의 대협곡을 만들어진 바다와 같은 깊은 강이다. 참으로 마음을 벅차게 하는 풍광이다. 안내인이 목에 힘을 주며 반복 설명하는 이유가 있었다.

피요르드를 보기 위해 노르웨이를 여행한다고 해도 과언이 아닐 정도로 절경이며 여행가들은 이 노르웨이 피요르드를 죽기 전에 꼭 한번 봐야 할 버킷 리스트(죽기 전에 꼭 하고 싶은 것들)에 올려놓고 있다고 한다.

노르웨이에는 여러 군데에 피요르드가 있는데 그 중 4대 피요르드는 게이랑에르(Geiranger)피요르드, 송네(Songne)피요르드, 하당에르(Hardanger)피요르드, 뤼세(Lyse)피요르드 등이라 할 수 있는데, 그 중에서도 규모가 장엄하면서도 경치가 아름다운 게이랑에르 피요르드를 선택해서 구경했다.

첫사랑의 눈물이라고 하는 게이랑에르 피요르드는 2005년에 유네스코 세계문화유산에 등재된 곳이다. 게이랑에르 피요르드에 가는 도중에 요정의 사다리라 불리는 꼬불꼬불한 트롤프겐 길은 잊지 못할 한 장면이다.

페리를 타고 협곡의 다양하고 지형이 아름다워 노르웨이의 피요르드 중 으뜸으로 꼽힐 정도의 게이랑에르 피요르드를 관광하면서 본 신부의 면사포 같다는

세븐 시터즈 폭포

'세븐 시스터즈(Seven Sisters)' 폭포는 일곱 군데에서 떨어지는 폭포의 물줄기가 여인의 머리카락을 닮았다고 해서 지어졌다고 하는데 182m의 암벽에서 7갈래의 물줄기가 떨어지는 그 모습이 가히 장관이다.

옆으로는 악마의 계곡이라는 하는 곳은 현무암, 화강암, 대리석으로 이루어진 거대한 절벽들이 병풍처럼 둘러져 있고, 산꼭대기에는 만년설이 덥혀있어 신비의 자연 속을 나는 기분이다. 절벽 사이로 떨어지는 수많은 폭포는 그 자체만으로도 장관이다.

가끔 스쳐 지나가는 피요르드 주변에 펼쳐 있는 마을, 한가한 목가적인 풍경은 한번쯤 살아보고 싶을 만큼 평화롭고 아름답다.

게이랑에르 피요

현무암 화강암의 거대한 절벽

목가적 풍경

르드는 5월 중순에서 9월 초까지 열어 구경할 수 있는 우리는 8월 하반기에 갔으므로 페리에 탑승 구경할 수 있었다.

페리에서 내려 플름에서 뮈르달~플름 구간을 프롬 아름다운 역에서 로맨틱한 열차에 올라 자리하고 아름다운 열차 길을 달리는 차창 밖으로 펼쳐지는, 빙하가 만든 자연 그대로의 계곡과 산악 풍경, 호수, 푸르다 못해 검은색으로 비쳐지는 물결과 초록의 숲, 산봉우리의 만년설 아름다운 마을 모습들 잊을 수가 없다.

열차가 해발 670m에 위치한 전망대에 멈춰 섰을 때 우리는 굉음과 함께 힘차게 쏟아져 내리는 폭포, 물보라를 치며 흐르는 폭포 저편에 뜨는 무지개의 선명한 빛깔이 아름다움을 더해주고 있는 모습을 보기 위해 전망대에 오른다. 93m의 높이의 빙산에서 녹아내리는 이 장관의 폭포가 바로 그 유명한 효스 폭포(Kjos Fossen)이다.

힘차게 쏟아지는 폭포에서 흩어져 내

프름역

리는 물보라를 맞으며 폭포의 신비스럽고 웅장한 그 속에 빠져들었다.

폭포가 쏟아지는 정상 옆 산위에서 굉음의 폭포 소리에 묻혀 들릴 듯 말 듯 가늘게 들리는 솔베이지의 노래에 맞춰 노르웨이 전통의상을 입은 무희의 춤추는 모습을 감상하다.

필름으로 돌아오는 열차에서 솔베이지의 노래를 흥얼거리며 잠시 추억에 잠겼다.

효스 폭포

뮤지컬 에비타Evita

글 유 진 순

   뮤지컬 에비타는 앤드루 로이드 웨버가 곡을 쓰고 팀 라이스가 가사를 썼다.

   아르헨티나의 대통령이었던 후안 페론과 그 부인이었던 에바 페론이 권력을 잡는 과정을 그리고 있다.

   뮤지컬 에비타는 1978년에 영국에서 초연되었는데 우리는 1982년에 영국 여행 중에 영국에 거주하고 있는 친구 K의 도움으로 관람할 수 있는 기회를 가졌다. 그 뮤지컬 중 삽입 곡 '아르헨티나여 날 위해 울지 말아요(Don't cry for

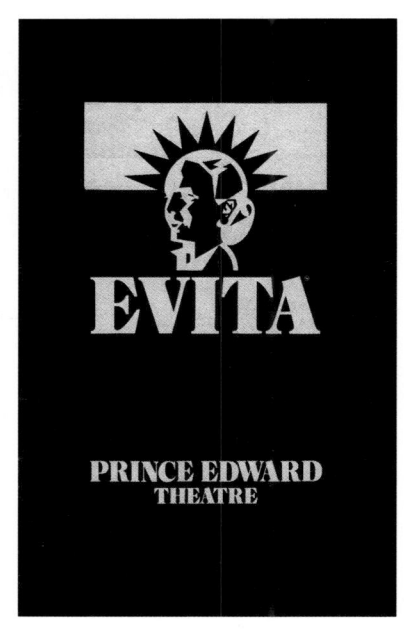

me Argentina)' 는 널리 알려져 있다.

뮤지컬은 아르헨티나의 유명한 퍼스트 레이디 에바 페론(에비타)의 장례식에서 시작된다. 대부분 사람들이 에비타의 죽음을 애도하는 와중에 뮤지컬의 내레이터인 체게바라가 끼어들면서 비판적인 목소리를 내고 그녀의 일생을 되짚어가기 시작한다.

시골 소녀였던 에바가 마을에 온 가수를 설득해서 부에노스아이레스에 도착하자마자 그녀를 데려와 준 마갈의를 뒤로하고 많은 남자들을 초대하여 어울린다. 그리고 어느 날 자선행사에서 후안 페론을 만나면서 그의 정치적 파트너가 되고, 그녀는 야망을 가지고 페론의 출세를 위해 무엇이든지 가리지 않고 노력, 드디어 페론을 대통령 자리까지 올려놓는다.

그들은 여러 정책을 펼치고 국민들의 지지를 얻었으나 페론이 위기에 처하자 그 해결 방안으로 에바가 부통령으로 나서 뜻을 관철하게 되나 급격한 그녀의 건강 악화로 결국 죽음을 맞는 것으로 뮤지컬은 끝을 맺는다.

에바 페론은 성심성 정책으로 나라 경제를 어렵게 만든 장본인으로 오늘날까지도 비판을 받고 있다. 작금에 우리가 당면하고 있는 상황도 불안하기에 에바 페론에 대해 재조명 해보고자 한다.

에바는 1919년에 아르헨티나의 시골 마을 로즈 톨도스에서 사생아로 태어나 가난하고 어렵게 어린 시절을 보내다가 15세 때 부에노스아이레스로 무작정 상경하여 홀로 어렵게 지내던 중, 1943년 당시 육군 대령이던 후안 페론을 만났다. 그 후 그녀는 페론의 출세를 위하여 무엇이든지 가리지 않고 최선을 다했다.

페론은 헌신적인 그녀에게 신뢰와 사랑을 느껴 결혼하기에 이르렀다.

1946년 2월 대통령 선거에서 페론이 당선되자, 에바 페론은 남편을 설득하여 히틀러의 국가사회주의를 그대로 본 뜬 '페론주의'를 내걸었다.

'페론주의' 하에서 외국자본의 추방, 기간산업의 국유화, 노동자의 처우개선을 위한 노동입법 추진, 노동자 생활수준 향상, 여성 노동자의 임금 인상 및 여성 시민적 지위 개선, 친권과 혼인에서의 남녀평등의 헌법 보장, 이혼의 권리를 명시한 가족법 추진, 여성의 공무담임권 획득 등을 이루어 노동자와 여성, 빈민들의 후원과 지지를 얻었다.

이렇듯 폭 넓은 민중적 지지 및 정치적 권력 기반이 서자 그녀는 남편과 자신의 우상화 작업에 착수했다.

초등학생들로 하여금 매주 페론 대통령 부부를 찬양하고 기리는 글짓기 숙제를 하도록 하였으며, 스페인어 수업 시간에는 에비타의 〈내 인생의 사명〉(상당부분 사실과 다름)을 교재로 채택하도록 압력을 넣었다. 또한 그녀는 정부 주요 요직을 마음대로 주무르며 그녀에게 대적 하려는 정치가들을 핍박하였다.

무엇보다도 군대를 비대하게 증강시켰으며, 무리하게 중공업 계획을 추진하였고, 그녀의 사치스런 생활과 정부의 부패가 날로 커갔다. 그에 따라 경제상황은 눈에 띠게 악화되어 갔고, 국민들은 높은 물가고에 시달려야 했다. 그 와 중에 그녀는 척수 백혈병에다 자궁암까지 겹쳐 34세의 나이로 사망하였다.

　　그 후 후안 폐론이 섣불리 가톨릭교회를 탄압하다가 1955년에 군부에 의해 쫓겨 망명길에 오름에 따라 그녀의 시신도 그를 따라 이곳저곳을 떠돌아 다니게 되었다. 죽은 지 24년 만에 에바 페론의 시신은 레콜레타 공동묘지의 가족묘역으로 옮겨졌다.

　　빈민층의 에비타는 온갖 역경을 딛고 '국모' 가 된 후 노동자와 서민들을 위해 파격적인 복지정책을 내놓아 국민들의 인기를 한 몸에 받았지만 그녀의 독선과 지나친 사치, 선심성 정책으로 나라 경제를 피폐하게 만든 장본이라는 비판을 오늘날까지도 받고 있다.

　　선심성 정책! 고려의 대상이다.

샘물의 여인이 과거에서 돌아오고……
-페루(Peru), 땀보 마차이(Tambo Machey) -

글·사진 최 윤 정

- 그 옛날 해가 뜨지 않는 시절이 있었네 / 사람들은 고통스러워 간절히 기도를 올렸다네 / 그러자 티티카카 호수에서 해가 솟아 세계가 밝아 졌다네 / 놀라운 은혜를 주신 분은 잉카의 창조신 '비라코차' 시라네 / 신(神)은 동녘으로 부터 오셨다네 / 그리고 샘을 용솟음치게 하고, 계곡으로 물이 흐르게 한 다음 고요히 사라졌다네 / 두 번 다시 돌아오지 않는다네 -

〈인디오 마을에 구전으로 내려오는 민요 중〉

'성스러운 샘물'이라 불리는 '땀보 마차이'(Tambo Machey), 이 물 앞에 서면 비라코차 창조신화를 담은 노래를 떠올리지 않을 수가 없다. 잉

카문명 자체가 풀리지 않는 미스터리로 가득하지만 거대한 돌 구조물 안으로부터 흘러내리는 물은 어디에서부터 이곳으로 왔을지….

떨어지는 물소리마저 혼령들이 흔드는 방울소리인 듯 정신을 혼미하게 만든다. 잉카 황제들의 휴식처라고도 하고, 인신공양으로 바쳐질 소녀의 정화(淨化)의식터라든지, 제사장들이 큰일을 앞두고 부정을 피해 몸을 깨끗이 하고 마음을 가다듬던 곳이라는 등, 여러 가지 가설로 분분한 곳이다.

페루의 수도 쿠스코에서 우르밤마강(江)을 지나 삐삭으로 가는 해발 3,765m 고지대, 3단으로 쌓여진 석벽 사이로 맑은 물이 청아하게 흐르고 있다. 하늘 아래 첫 번째 물이라 불리며 '잉카의 영수(靈水)라고도 한다. 이 물이 어디에서 발원하여 이 꼭대기까지 왔는지 아는 사람은 아무도 없다.

미스터리한 물의 흐름, 이것이야말로 만물을 창조하고 가르는 대자연의 이치요 창조신의 조화라는 것이 잉카인들의 믿음이다.

　오래 전, 발원지를 찾기 위해 물길로 추정되는 여러 개의 강과 계곡에 색소를 풀어 보았으나 실패했다고 한다. 물의 근원을 수맥에서 찾아보려고도 했지만 그것 역시 헛수고였다는 후문이다.

　땀보 마차이, 이 곳에서 구름처럼 떠도는 이야기조차 믿을 수 없을 만큼 초현실적이다. 아이를 가질 수 없어 시름에 빠진 잉카의 공주가 이 물로 목욕을 한 후, 수태를 했다는 것이다.

　전쟁에 나가기 전, 이 곳에서 몰래 목욕을 한 전사는 초인적 힘을 얻어 단번에 승전보를 울렸다는 말도 전해진다. 전사가 몰래 이곳을 찾은 이유는 감히 '땀보 마차이'에 접근할 수 없는 신분이었기 때문이란다.

　그러나 이곳을 찾은 낯선 방문객의 고산증세에는 아무런 효능을 보이지 않는다. 이상한 일이다.

　성스런 물은 그 옛날 기적의 효능을 잊기라도 했을까?

그 물을 마셔도 보고 손수건에 적셔 이마에 얹어 보아도 마찬가지
다.

안데스의 길을 돌고 돌아 고지대로 올라왔으니 숨이 가쁘고 머리는
깨질 듯 아프다. 그 때, 은인처럼 나타난 사람이 한 인디오 여인이다. 그
녀는 고통스러워하는 나를 그냥 지나치지 않았다.

잉카시대로부터 내려온 비법이라며 손에든 바구니 속에서 꽃과 잎
을 꺼냈다. 꽃의 이름은 아쉽게도 지금 기억하지 못한다.

하지만 잎은 코카(Coka)임이 틀림없다.

그녀는 화려하게 수를 놓은 겹겹의 치마를 입고 있었다.

자리에 앉자 치마는 둥그렇게 펼쳐져 꽃처럼 아름다웠다.

그리고는 꽃과 잎을 비닐봉지에 넣어 한참을 비빈 후, 땀보 마차이의
성스러운 물을 받아 섞는다. 그러자 봉지 속은 알싸하고 화하며 … 암

튼 묘한 기운으로 가득해졌다.

다음은 봉지를 입에 대고 천천히 들여 마시면 된다. 호흡을 계속하자 놀라운 일이 벌어졌다.

잠시 정신이 아득하다 싶더니 천천히 평안이 찾아온 것이다.

인디오 여인은 다시 야마의 갈비뼈로 만들었다는 도구를 꺼냈다.

그리고는 양손바닥에 지압이라도 하는 듯, 여기저기를 꾹꾹 눌러 주었다. 그러자 악마라도 되는 양 심하게 괴롭히던 증세가 천천히 사라졌다.

꽃과 잎과 성스런 물이 나를 살렸다. 고통이 사라지니 행복한 마음뿐이다. 마치 어머니라도 되는 양 자애로운 눈으로 바라보고 있던 그녀역시 기쁜 표정이다.

코카 잎의 역사를 따져보면 남미에서는 이미 기원 전 2천 년 전 부터 음료나 약으로 사용해 왔다.

제(祭)를 올릴 때 역시 코카차를 바치고 음복을 하며 조상과의 영적인 교감을 해오던 신성한 식물이다. 물론 코카 잎에 화학처리를 하게되면 중독성이 심한 마약성을 띄게 된다니 그것이 다를 뿐이다.

안데스의 여인들은 다산과 풍요의 이미지만큼이나 넉넉하고 따뜻했

다. 전통적인
습속을 지니
고 살고 있는
땀보 마차이의
여인들은 착하
고 너그럽기까
지 했다.

　서양문물이
물밀 듯 쏟아지는 시대임에도 과거의 삶에서 벗어나지 않고 전통을 지
키는 모습이 순수하며 정직했다.

　머리 위의 중절모 또한 잉카의 후예라는 자존심을 품위 있게 장식하
려는 노력이다.

　지난 역사 속 어느 날, 자취도 없이 사라진 위대한 제국의 여인들 …
그들은 과거에서 돌아와 지금도 성스러운 샘물의 주위에서 변함없이
살고 있었다.

푸른 물에 발을 담근 천사의 점괘
-멕시코시티(Mexico city), 소깔로 광장(plaza de Zocalo)-

글, 사진 최윤정

마야문명의 최대 유적지 칸쿤에서 멕시코시티로 가는 비행기 안에
서였다. 옆자리에 앉은 여자는 '타로카드'라는 책과 한창 씨름 중이었
다.

나는 흥미로움과 함께 호기심이 발동되고 있다. 자연히 그 쪽으로
자꾸 눈길을 주게 된다. 눈치를 챈 그녀가, "얼마 전부터 타로에 빠져
온통 시간을 뺏기고 있어요"라며 묻지도 않은 이야기를 한다. 그리고
는, "초짜이긴 하지만 당신의 호기심을 확실하게 해결해줄 실력은 되니

호의를 받아들
이겠느냐."고
물었다. 멕시코
여자의 특징
은 이목구비가
선명하고 선이
굵다.

진한 화장
에 긴 속눈썹, 화려한 옷차림까지 외모만큼은 영락없는 점술사 포스이
다. 카드를 나란히 쥐고, 반으로 가르고, 다시 올린 후, 나란히 배열하
는 솜씨가 기내 작은 테이블 위에서도 제법 현란하고 화려하다.

아마도 빨간색의 긴 손톱과 가늘고 하얀 손가락이 한 몫을 더했을
것이다.

그녀의 리드에 따라 카드를 고르려는데, 그것이 뭐라고 긴장까지 되
며 호흡까지 거칠어진다. 꼭 1장만을 해석해야 된다는 조건이다. 내가
선택한 카드는 'Temperrance' 였다.
'절제' 라는 뜻을 가진 이 카드의 키워
드는 정화(淨化)라고 한다. 그러고 보니
카드의 그림에는 차갑고 푸른 물속에
천사의 하얀 발가락이 담겨있다. 그녀는
이것을 여러 갈래로 나눠 해석했다.

그러나 영어를 유창하게 하는 점술
사(?)의 말 중에 내가 완전히 이해할 수

있는 내용은, "여행지에서 방심하지 말라. 분실수가 있다." 가 전부다.
나는 절제와 정화와 분실물이 서로 어떤 연관성이 있는지 의문이다. 암
튼 그녀 덕분에 비행시간은 아주 짧게 지나갔다. 공항에서 헤어지기 전
에, "어디로 가는냐?"고 묻길레, "아마도 소깔로광장으로 가게 될 것
이다." 라 대답했다.

그녀는 급히 다가오더니 심각한 얼굴로 분실수를 다시 강조한 후,
손을 흔들고 사라졌다.

소깔로는 중앙광장이라는 의미이다. 국가의 중요행사가 열리는 곳이
며 정치 종교의 중심지이다. 아스텍족은 유랑생활을 하던 중, 신(神)의
계시를 받는다. 독수리가 선인장위에 뱀을 물고 있는 곳을 찾아 신전을
세우라는 것이었다. 바로 그곳이 신이 지정한 땅 멕시코시티이다.

　광장 주위로는 '대통령궁'(Palacio Nacional)과 '메트로 폴리탄' (Meatropolitan Cathedral)성당 등의 건축물이 구축되어 있어 위엄 있는 멕시코의 역사를 한 눈에 공개하고 있다.

　특히 아직도 발굴 중이라는 광장의 '뗌쁠로 마요르'(Tempolo Mayor)는 아즈테카왕국의 신전(神殿)으로 밝혀져 관심이 쏠리고 있다. 특히 발굴시 중앙 제단(祭壇)으로 추정되는 한 면은 전부 해골 조각으로 가득 찼었다고 한다. 산 제물, 곧 인신공양으로 바쳐진 희생자들의 유물이라는 추정이다.

　어느 나라와 마찬가지로 광장에는 늘 사람들이 붐비게 마련이다. 여러 대의 관광버스까지 동원되어 더욱 인파로 가득하다. 뗌쁠로 마요르를 관람할 수 있을 때도 마찬가지였다. 뒤에 선 남자는 자꾸 밀어대며 보통 재촉이 심한 것이 아니다.

"잠깐~ 잠깐만요! 밀지마시라구요!" 그런데 순간 조금 이상하였다. 앞쪽에 있어야할 크로스백이 약간 몸 뒤쪽으로 가있다.

순간 뒤를 돌아보자 그 남자의 눈이 떨리고 있다. 무엇인가 들키기라도 한 듯 당황함도 역력하다. 그리고 그 때 머리를 스치는 한 문장, '분실수가 있으니 조심하라.' 는 카드 속 천사의 점괘이다. 나도 모르게 백

을 움켜쥐었다. 그리고 지퍼를 열었다. 그 순간이 어찌나 긴지 머릿속까지 온통 하얘졌다. 현금은 무사했다. 빨리 알아챈

것이 불행을 막았다.

　겨우 그 자리를 떠나 정신을 차리고 보니 왠지 나의 인생이 다시 시
작된 것만 같은 심정이다. 이상하게도 마음까지 깨끗이 비운, 마치 정
화라도 된 기분이다. 그랬다. 타로게임이 그 날의 운세를 족집게와도 같
이 정확하게 맞춘 것 같다.

천년의 미소(Smile)
바욘(Bayon)사원

글·사진 **심 명 숙**

앙코르 유적은 크게 앙코르와트와 앙코르톰으로 나눠진다. 바욘
(Bayon)사원은 앙코르톰의 핵심이다.

크메르 발음으로 '바이욘' 보다 '바욘' 이 더 정확한 명칭이라 한다.
바는 '아름답다' 는 의미이고, 욘은 '탑' 을 의미한다.

바욘은 앙코르 유적 가운데 앙코르와트와 가장 유명한 문화재이며, 앙코르와트보다 100년 정도 뒤(12세기 말~13세기 초)에 지어졌다고 한다.

바욘(Bayon)은 단단한 사암으로 쌓아올린 사면상四面相은 미소가 아름다운 탑이다. 크메르제국의 국사를 보던 중심역할로 앙코르톰 중앙에 위치하고 있다. 앙코르에서 마지막에 세운 국사이며, 유일하게 대승불교사원으로 부처에게 봉헌된 사원이라 한다.

바욘이 축조된 돌이나 여러 흔적에서 나타나는 현상들이 여러 왕대에 걸쳐 조금씩 건설되었다고 보는 추측이다.

기초구조와 사원의 초기 건축물은 폐허가 되어 정확하게 알아낼 수는 없지만, 처음에는 힌두 사원으로 만들어졌다.

그러다 앙코르 왕조의 중흥을 주창한 자야바르만 7세가 참파에 대한 전승을 기념하여 12세기 말부터 불교 사원으로 재건축 되었다는 학자들의 유력한 견해이다.

천년의 미소 바욘 사원의 높이는 약 54미터이다. 사면체가 한 덩어리의 돌처럼 짜 맞춰진 정교함이 인위적인 각본을 느낄 수 없을 정도로, 큰 바윗돌을 육면체로 깎아놓은 듯 탑의 기교는 절묘하다.

당시 크메르인들의 노동 성능은 신이 주신 "영험靈驗의 시현示現"이 아니었을까, 탑마다 넓은 이마와 자비롭게 살짝 내려감은 눈, 튼실하면서 우뚝한 코 아래, 오묘한 미소의 큰 얼굴이다.

미소의 얼굴은 당시 자야바르만 7세가 자신의 얼굴을 형태화했다는 주장도 있다. 그러나 고고학계의 일부와 복구 작업에 참여하였던 여러 학자들은 관세음보살이란 주장이 크다고 한다.

이렇게 둘로 엇갈리는 216개의 얼굴을 사방에 양각陽刻해 놓았다. 도톰하고 묵직한 입술에 번지는 미소는 '우주의 길을 밝게 비추는 자비의 빛'일 것이다.

앙코르를 건설하는데 엄청난 자원들, 1개에 약1톤 정도 되는 돌은 주변 국, 주로 태국이나 베트남에서 코끼리나 배로 실어 왔다고 한다. 또한, 자국의 노동력으로만은 부족했을 것이라는 판단이다.

숨을 죽이며 관찰할 수밖에 없는 웅장한 사면탑四面塔, 혹시 불교에서 말하는 사방정토에 살고 있는 사방사불四方四佛이 아닐까! 생각해본다.

탑은 원래 54기로 구성 되어 있었지만, 현재는 36개만 남아있다고 한다. 곳곳에 훼손된 흔적들이 아쉬운 미로를 따라 걷는다. 그래도 미소만은 변치 않은 천년의 자비로운 은총이다.

세상을 한눈에 내려 보는 관세음보살, 사방팔방을 자비로서 보살피고, 시공을 넘나들며 빛을 잃지 않는 그 광명으로 세상을 비춰 주리라 믿어본다.

신화를 만들어 낸 엄청남 노동의 혼을 지각知覺으로 느낀다. 과연 영적 존재의 도움이 아니면 '세계 7대불가사의'라는 수식어를 만들어 낼 수 있었을까, 하는 강한 의구심이 든다.

바욘의 구조는 전체적으로 3층을 이루고 있다. 1·2층은 사각형 구조로 벽에는 정교하
고 아름다운 부조가
조각된 회랑回廊이고,
여러 번 개·보수되었
다는 3층은 십자형
구조에 둥근모양의
중앙사당이 있다.

　바욘에서 미소의 사면상과 외부, 내부 회랑의 부조들을 꼼꼼히 살펴
보면 그들의 세계를 조금은 상상해 볼 수 있다.

　크메르민족들의 일상적인 삶의 모습들이 기록되어 시대를 반영해 주
고 있어, 보는 사람들이 이해하는데 중요하고도 신기한 자료로 세계인
들에게 흥미로운 관심을 주고 있다.

　세월로 채색된 양각부조는 생활사박물관이자 전쟁박물관으로 약
100여 미터가 넘는 역사 기록이다.

　바욘사원의 내부회랑 부조는 주로 신화의 기록이고, 외부회랑 벽면

에는 일상생활 기록들이다. 멍하게 바라보며 광활한 전경을 상상해 보면 경이롭다.

재미있는 부조에는 금방이라도 튀어 올라 올 것 같은 물고기들이 우글거리는 강 풍경이다. 당시, 톤레삽 호수에는 물 반, 물고기 반이었다는 것을 입증하는 어마어마한 물고기들을 표현하고 있다. 생활이 풍족했던 사람들, 물고기를 먹는 표정에는 즐거움이 가득해 보인다.

톤레삽 호수는 1177년에 있었던 크메르와 참족(베트남)간의 수상전투를 파노라마 형태로 묘사한다. 먹이를 기다리며 입을 크게 벌리고 올려보는 악어들, 배로 기어오르는 무장한 전사들이 떨어지면 꿀꺽 삼키겠다는 표정이다. 무엇보다도 이 전투의 승자는 코끼리를 탄 지휘관 중 여러 개의 파라솔을 쓰고 있는 자야바르만 7세이다.

크메르제국 영광의 시대 최고 정점을 이룬 기세가 당당한 영웅이다. 사각 돌기둥마다 압사라 무희들의 모습은 전통노동무용으로 씨를 뿌리고 농사의 과정을 표현했다고 한다.

층간을 연결하는 회랑과 통로의 계단이 미로처럼 연결되어 있다.

헷갈리는 곡면적인 층간 구별이 현세계의 줄을 놓치면 미지의 세계로 뚝 떨어질 것 같은 착각이 든다. 마치 타임머신을 탄 것 같은 착가에서 잠시 벗어나면, 또, 다

른 전설 속으로 들어가는 긴장감이 있다. 망념妄念이 없어야 무사히 벗어날 것이다. "해탈하자!" 자문을 하면서 한발 한발 디뎠다. 저절로 합장合掌할 수밖에 없는 분위기이다.

중앙 탑을 중심으로 손괴損壞된 불상들이 빙둘러 서 있다. 마침 보수공사 중인 중앙 끝을 보지 못하는 아쉬움이 천상의 끝까지 닿는다. 그 푸름 속에서 영혼들의 빛이 화들짝 쏟아진다. 엄숙하고도 부드러운 미소이다.

자야바르만 7세는 자신의 존재를 관세음보살과 동일화시켜 사면상을 만들었다는 추측은 신에게 도전할 만큼 자신의 위세를 확신시켰던 것으로 생각된다.

사면상의 웅장한 예술은 세계에서도 유례를 찾아보기 어렵다는 건축양식이다. 이러한 바욘사원은 왕도 정치를 펼쳤던 중심역할을 했으

며, 크메르의 미소와 자야바르만 미소가 전 세계를 지배한다는 믿음을 상징시킨 왕국으로 평가하고 있다.

그러나 21세기 세계최빈국에 속하는 개발도상국이다. 국민 1인당 GNP는 3~400불 정도로 노동력의 중심은 농업이다. 주요농산물은 쌀로 자급농업이고, 주요환금작물로는 농작물이며, 고무와 담배로 작은 소득원이 되고 있다. 국민 90%가 크메르족, 베트남족 5%, 중국인 5%로 국민 대다수는 크메르족으로 중국에서는 이들을 부남扶南이라고 불렀다.

불교를 신봉한 자야바르만 7세 전환기로 지금은 국민 90% 이상이 소승 불교신자이다.

선조들의 찬란했던 자취가 남아있는 땅, 과거를 통해 공부하고 알아내야 할 것들이 많은 미지의 땅은 깊은 상념에 빠지게 하는 마력이 있

다. 또한, 현장에서 체험을 하다보면 그 미소에 주눅이 들기도 할 것이다,

현실이 어려운 크메르 후세들은 세상이 감탄하는 선조들이 누렸던 부흥을 간절히 염원할 것이다. 선조들이 남긴 앙코르유적은 캄보디아의 커다란 수입원이 되고, 그들의 신앙이 되고 있다. 그들은 삶이 어려운 농경사회의 가난에서 벗어나 부강한 세상을 꿈꾼다.

조상들이 누렸던 찬란한 삶을 자신들도 누릴 수 있을 거라는 믿음을 주는 곳이리라. 조금이나마 나은 삶을 열망하는 캄보디아인들을 위해 여행자들은 기도의 힘을 모아주는 것으로 믿고 있다.

캄보아인들의 자부심 같은 자야바르만 7세의 얼굴 형상이 깃든 바욘 탑, 아마도 그 신들은 후세들을 가엾게 여겨 모든 고통과 번뇌를 끌어안고 열반涅槃에 들기를 바란다. 혹여, 현 세계에 남은 보살이 있다면 후세들이 의지하는 위안처가 되어 줄 것을 간곡히 기원한다.

어디든지 유적지 여행은 현재와 과거를 연결하는 미로의 길이다. 필자는 선조들에게 눈부신 승리의 삶을 살았던 문명의 흔적을 남겨준, 시간과 공간에 서서 고개를 끄떡인다.

제2부

포토 여행

사진 속에서 걸어 나온 기억

– 영국, 아일랜드, 스코틀랜드 –

글, 사진 **김 광 덕**

Wall of Fame, 한 곳에서 더블린의 유명인들을 모두 만날 수 있었다

더블린에서 골웨이로 가는 길에 비가 온다.
문득 '그란다' 의 '아름다운 침묵' 을 떠 올렸다

작가노트

　많이 걸었던 여행이다. 자유여행이 원래 그렇다.
　두 발이 피곤한 만큼 카메라도 바쁘게 움직였고 추억도 많이
쌓였다. 하지만 그 황홀한 여행도 시간이 지나면서 점차 무채색
으로 흐려진다. 새삼 꺼내보니 사진 속에서만은 완벽하게 기억
이 재현되고 있었으며 그 기억의 색칠도 되살릴 수 있었다.

세익스피어극장 벽 위에 붙은 두 배우.
현실을 망각할 만큼 극적이다
시점이 현대인 '멕베스(Macbeth)'의 한 장면이다

결혼식 주례를 기다리는 신부(神父)
결혼식장으로 가는 요크(York)의 신부(新婦)
두 사람은 모두 긴장과 행복의 감정이 뒤섞이는 중이다.

에딘버러 페스티발 속의 플래시 몹은 어둡고 우울한 회색빛 도시에
뜨거운 에너지를 불어넣고 있다

목가적 풍경속의 아일랜드.

나이 든 노인의 인상은 안식과 평화의 감정으로 다가왔다

영국의 네어스보로(Knaresborough). 마치 다른 행성에 닿은 듯 시간은 멈춘 듯.
그럼에도 꿈 속에서의 데자뷰로 느껴질 만큼 낯설지가 않다.

에딘버러(Edinburgh)의 골목길에선 어디서나 스카이라인이 기하학적이다.
그만큼 하늘도 높디 높다.

제3부

인문학 여행

가람

유성봉

오흥범

사진 박춘기

시 소설

한민족의 봄
한민족의 혼과 역사의 정체성을 밝히는 시 소설

글 가람

가을이 오면 훌쩍 떠나고 싶은 것은 나만의 마음일까. 바쁠수록, 삶이 던지는 물음에 대한 답이 궁할수록 스스로를 뒤돌아보는 사색이나 여행이 필요하지 않을까.

'내가 왜 이렇게 덩그러니 던져져 있지?'

'나는 누구일까?'

그러한 물음이 자아성찰이요, 자아를 더듬으며 진아를 찾자는 게 삶의 이유가 아닐까.

나의 뿌리가 궁금했다. 윤심이라는 내 이름의 내막을 모른다.

지금은 그리움이 된 아버지는 북한에서 내려오셨다고 했다. 나의 전생은 사람이었는지 모른다.

아니, 신이었는지도 모르지. 비둘기의 몸으로 태어났으나 어떠한 생물체와도 대화를 할 수 있는 나를 내가 모르는데 남이 나를 이해해 주기를 바라는 것은 모순이지.

가을 병을 이유로 사색의 여행을 떠나는 계절이다. 여행을 하지 않는다면 나를 뒤돌아 볼 수 없고 휴식할 수 없는 자유를 가졌다면 행복할 자유도 잃어버리겠지. 북쪽으로 날았다. 고성의 통일전망대에서 날개를 쉬고 있는데, 배낭을 맨 한 여행가가 빤히 나를 쳐다본다. 뭔가 의문을 가진 얼굴이기에 영적인 기 전달을 하면서 이야기 했다. 나는 비둘기지만 당신과 대화를 할 수 있다고… 말레이시아에서 온 지질학자라는 그는 반색을 하면서도 이 통일전망대를 지나 북한으로 갈 수 없느냐고 물었다. 슬펐다. "예, 갈 수 있습니다" 라고 말하고 싶었다. 세계 어느 나라를 가도 국경을 넘어 다른 나라로 갈 수 있는데 분단국가인 한반도에서는 서로 왕래를 할 수 없다는 게 슬펐다. 말레이시아인이라면 당연히 갈 수 있어야 한다.

북한과 외교관계를 맺고 있는 말레이시아이기에 북한을 갈 수 있는데 왜 남북의 국경을 넘을 수 없단 말인가. 그에게 한국의 분단 상황을 이야기하고 남북 간에는 4km 넓이의 비무장지대가 설치되면서 슬프게도 저 철책선을 넘을 수 없다고 설명했다. "왜, 국경을 넘을 수 없느냐"는 그의 말이 짠하게 가슴을 타고 흘러 내렸다. 북쪽으로 보이는 해금강이라는 바다에는 멋진 경치와 해당화로 유명한 명사십리 해수욕장이 있다.

나는 날개를 솟구쳐 해금강으로 날아갔다. 기암괴석과 유려한 해안선을 돌아보는데 점점이 바다에 뜬 바위섬들의 자태가 아름다웠다. 비무장지대도 둘러보고 싶었다. 인제와 양구를 거쳐 철원까지 날아갔다. 인간의 발길이 끊긴 비무장지대는 자연 생태계가 고스란히 보전되어 있었다.

그런데, 새들이 아닌 동물들은 어쩌란 말이냐. 북한과 남한의 철책선에 가로막혀 남으로도 북으로도 갈 수 없는 철창에 갇힌 생활을 하고 있었다.

생태계 보전은 누구를 위한 것이며 또 무엇을 위한 것일까. 얼핏 보기엔 낙원 같을지 모르지만 동물들에겐 총을 겨누고 있는 철책 사이의 감옥인데… 언제쯤에나 철창의 동물들에게 자유를 줄 수 있을까. 물과 바람과 새들만이 자유로운 철책선은 남북 한민족의 정기마저 끊어 놓고 있는 건 아닐까. 비무장지대 내의 철원 평야는 벼가 익어 황금 들판을 이루고 있었다. 들판을 가로지르고 있는 산명호, 북한에서 발원한 물줄기가 철원 평야를 거쳐 임진강으로 흘러들고 있었다. 호숫가엔 갈대, 산비탈엔 억새가 가을바람에 춤을 추고 있었다. 나는 호수 건너에 노오란 은행잎을 가득 단 몇 백 년은 됨직한 은행나무에게로 날아갔다.

"안녕하세요? 저는 윤심이라고 해요. 참으로 예쁜 가을 옷을 입으셨네요."

"그런가? 난 영수라고 한다네. 오래도록 장수하라고 얻은 이름이지만 살아있는 모든 것들은 가야 할 운명이라는 걸 알아."

"가는 계절 속에 몇 번이나 이런 멋진 가을을 맞으셨나요?"

"계절은 가는 게 아니고 돌고 돌아서 오는 것이라네. 시간이 흘러 세월이 된다지만 정작 시간은 가만히 있고 우리가 가는 게지. 이 한곳에 서서 살아온 지 벌써 삼백년이 넘었다네."

"와우! 300년이 넘게 한곳에 사셔도 이렇게 아름다운 잎을 피우시는데 저는 왜 가을이면 방황을 하며 외로워하는지 모르겠어요."

"살아있다는 증거지. 움직인다고 다 행복한건 아니야. 움직이는 것들은 이기적이고 화합보다는 분열과 싸움을 좋아하는 것 같아. 나는 이 한 곳에서 조선의 멸망과 일제의 야욕, 6.25 전쟁을 다 보았네."

"그러셨겠네요. 움직임이 만드는 이기심이요, 싸움이군요. 가만히 서서 살아도 평화롭기만 한데 일입니다."

"그렇지. 나는 남과 북의 비무장지대에 서서 살지만 한민족의 분열이 너무나 안타까워. 어서 뭉쳐야 하는데…"

"예, 저의 아버님도 그러셨어요. 남, 북이 어서 통일이 되어야 한다고요. 시도 가끔 쓰셔서 저에게 읊어주곤 하셨는데 마음의 갈피를 못 잡을 땐 더욱 그립습니다. 가을은 사색의 계절이기도 하지만 방황의 계절인가 봐요."

"착하게 살아 왔군. 마음이 선하고 정의로운 사람이 우울해지기 쉽고 외로움을 많이 탄다네. 어느 나그네가 내 노란 낙엽 위에 앉아 들려준 시인데 한번 들어 볼 텐가? 가을 마음에 도움이 될 게야. '일체유심조' 라고 하지 않았는가. 모든 건 마음에 달렸어."

** 가을 묵상 **

아무것도 오지 않을 것 같은 느낌인데
가슴이 상기되는 건 가을이기 때문일까
푸르게 푸른 알맹이로 익지 않을 것 같았던 감이 익고
빨갛게 석류도 익었다

길 같지 않은 길을 가다가

쓸쓸하게 되돌아 온 날에는
스스로에게 물어 보는 삶의 이유, 확신이 필요했을까
길이 시간이고 시간이 길이 된다

은행나무 아래에 쌓인 노오란 가을을
툭 툭 발로 차고 싶은 심정은
시간의 상흔이 쌓은 욕망을 버린 서정
떨어진 지금이 절정이라고
지나온 발자국 하나하나가 절정이었노라고
절대로 끝나지 않을 것 같은 영속위의 작은 영혼
항상 제자리를 지키거나
시간이 지나도 변하지 않는 영원이란 없는 거라고

맑은 하늘에
맑은 바람에
구르는 낙엽이 되어
잠시 혼곤했던 가을이 한 움큼 그리움 두고 떠나려 하네

다시는 오지 않을 삶의 봄을 향한 묵상일까
가을에 핀, 늦바람이 첫사랑처럼 난 개나리가
사는 일 중에 가장 중요한 것은 시간이라고 이야기 한다
추억도 오늘의 단상이고 미래도 내가 사랑해야 할 시간
과거와 미래가 뒤바뀐 잘못들도
제 자리를 찾아주는 건 시간이다

시간이 지나면 잊혀지는 낙엽으로 떠날 것이기에
국화 향 깊어진 가을만큼 행복으로 충만하시고
생각하는 만큼 행복해지시고

맑은 가을 하늘 같이
마음도 맑은 여유를 누리시기를 비옵니다
나를 사랑하는 법을 알고
나로 인하여 남들이 행복해 하는 노을 진 가을이기를…

가을이 가더라도
첫 마음으로 처음 같은 작별을 고할 것이니
부디, 부디 행복만큼은 고이 간직하게 하소서

  마음을 편안하게 해 주는 시였다. 바쁘게 움직이며 사는 생명체가 행복할까 아니면 한곳에 가만히 머물며 사는 생명체가 행복할까. 호숫가를 거닐며 삶, 사랑, 평화, 행복, 이별, 전쟁, 죽음 등을 생각하니 머리가 복잡하고 혼란스러웠다. 호숫가에 앉아 북녘 땅을 멍하니 쳐다보고 있는데 누군가가 '윤심아, 윤심아' 나를 부르는 것 같았다. 주위를 둘러보니 아무도 없고 물결만 일고 있었다. 그런데, 또 '윤심아, 윤심아' 부르는 소리가 들렸다.

  "누구세요? 어디서 저를 부르는 거죠?"

  아무리 둘러 봐도 주위에는 아무도 없는데 나를 부르는 소리에 덜컥 겁이 났다.

  "놀라지 말아. 나는 지금 물속에 있고 네가 살아 있는 어떤 생명체와도 대화를 할 수 있다는 걸 알아. 그래서 너에게 알려 줄 것이 있어 물 밖으로 나가려 하니 놀라지 말아."

  "예?, 지금 물속에서 저랑 이야기를 하는 건가요?"

  "그래, 환국의 환인 자손인 내 이름은 지쾌랑이라네. 옥황상제께서 지금의 몽골지역에 내려와 환국을 만드시고 환인이라 칭하는 일곱 명의 자손들에게 다스리게 하였는데 그 자손들 또한 신이었다네. 그 시절에는 신과 인간의 차이가 별로 없었다네. 땅이 비옥하고 지금보다 훨씬 따뜻한 온대지역이었으며, 병균이 출현하지 않아 자연과 동화된 무병장수를 누렸던 황금시대였지."

"신과 인간이 함께 생활했다고요?"

"그랬지. 환인들은 신이었으며 인간들과 결혼도 할 수 있었어. 후손들을 많이 두었지. 땅이 넓고 풍요로웠고 전쟁이 없었으며, 공기 속에 산소도 풍부하여 300세 이상을 살았단다. 환인이라는 신들은 하늘의 옥황상제와 또 다른 상제님들을 모셨으며, 저 멀리 그리스 올림푸스의 신들과도 교류를 많이 했단다."

"그야말로 태평성대였군요."

"이화세계라고 했지. 환국시대는 3,000년 넘게 지속되었으며 만리장성 이북에서 시베리아 바이칼호에 이르기까지 그 영토가 아주 넓었단다. 신들의 자손들은 다른 생명체의 모습으로 살기도 했으며, 대 자연을 마음껏 누리며 인간들과 함께 살았지. 그러다가 지구에 기후변화가 오면서 봄, 여름, 가을, 겨울이 생겼고 겨울은 많이 추워졌어. 인간들의 수명도 짧아졌고 겨울을 나기 위해서는 부지런해야 했어. 환인들은 그들의 자손들에게 하늘의 뜻과 땅의 이치를 가르치고 환웅에게는 동남쪽 홍산의 만주벌판으로, 환진에게는 서남쪽의 천산 아래로 가서 널리 인간을 이롭게 하라고 이르고는 하늘로 올라갔어. 하늘과 땅과 사람의 이치를 밝히는 삼신사상, 이화세계의 근본이었지. 환웅은 만주 벌판에 배달국을 세우고 요하문명을 널리 융성시켰으며, 환진은 지금의 터키와 인도에 환국의 문화를 전파했어."

"옛날이야기가 재미있네요. 그런데, 지쾌랑님은 누구시며, 어찌하여 여기에 계시는가요? 물속에 계시지 말고 나오셔서 더 많은 얘기들을 들려주세요."

"그럴까? 내 모습에 놀라지 마시게. 나의 조상은 환인과 인간 사이에서 태어났으며 땅속과 물을 관장하는 능력을 부여 받았지. 생각에 따라 땅속을 마음대로 다닐 수 있으며 수백 년에 걸쳐 임무를 다하고 나면 용오름을 타고 용이 되어 하늘로 간다네. 나는 후속 임무를 맡고 있으며 일을 끝내면 천상계로 갈 거야."

"예, 무슨 영문인지는 모르겠으나 참 멋지신 분일 것 같아요. 어서 나오십시오. 지쾌랑님."

물속에서 서서히 모습을 드러낸 그는 몸통은 커다란 통나무 같고 길이가 5m가 넘는 용 모습의 시커먼 먹구렁이였다. 나는 하마터면 기절할 뻔했다. 뒤로 후다닥 물러나서 정신을 차리니 그는 어느새 내 옆에 와 있는 게 아닌가.

"괜찮아 윤심아. 땅 위로는 잘 올라오지 않는데 너와 할 이야기가 많구나." 숨이 턱턱 막혔지만 그의 목소리는 인자했고 나를 헤칠 것 같지는 않았다.

"저는 뱀이 무서워요. 보기만 해도 도망을 가거든요."

"생긴 모습에 대한 편견은 좋은 것이 아니야. 인간들은 그 편견이 더욱 심해. 뱀이 무슨 죄가 있어. 뱀은 가장 낮은 곳에서 기어 다니며 땅의 이치를 밝히는 영혼의 사자들이야. 그런데 인간들은 아무런 이유도 없이 뱀을 보면 돌로 치거나 죽이려고 해. 뱀들도 신성한 한 창조물이고 이 지구를 지키며 살 권리가 있어. 뱀이 사악하다는 자체를 인간들이 만든 것이니 제발 편견을 버리고 서로 존중하며 사랑해줬으면 좋겠어. 발도 없이 기어 다니는 것도 서러운데 이건 완전 무고의 묻지 마 테러야. 아무런 이해관계도 없는데 왜 그러는지 모르겠어."

** 배암 **

싫어해도, 무서워해도 개의치 않으리
나는야 풀잎에 맺힌 이슬만 먹고
먹이도 살아 있는 것만 찾아
다리도 없는 몸뚱이로 산야의 나그네가 된다
선보다
악의 유혹이 더 강하기에
진흙탕 근처는 배회하지 않으리
누가 뭐라고 해도 나의 길을 밝히고
한 세상 맑게 사는 향기
숲 냄새 나는 푸른 꿈을 가꾸리
구정물은 많이 마셔도, 배가 불러도 구정물이다

"지쾌랑님 죄송해요. 저는 편견이라기보다는 그냥 무서워요. 하여튼 죄송합니다."

"아니야, 많은 생물체들이 편견을 가지고 있고 또 열등감을 가지고 있기도 하지만 그 뿌리를 알면 편안해 진단다. 뿌리 즉 근본을 알아야 하고, 뿌리가 잘린 나무는 금방 시들어."

"예, 저도 제 뿌리를 모르겠어요. 제 조상은 누구인지 어떤 혈통을 타고 태어났지 잘 모르겠거든요."

"허허, 그런가. 뿌리는 꼭 찾아야 하네. 뿌리를 모르면 삶의 정체성에 혼란이 오고 자부심을 모르게 된다네. 내가 자네를 만나서 이야기하려는 것도 남한과 북한에서 그 명맥을 유지하고 있는 한민족의 정체성, 즉 그 뿌리를 찾아주려고 하는 것이라네. 지금 한민족은 뿌리를 잃어버려 정체성의 혼란을 겪고 있단 말이야."

"무슨 말씀이신가요?"

"한민족은 아시아의 문화를 창안하여 선도했고, 인도 및 저 멀리 서구에까지 영향을 준 위대한 민족이라네. 아시아의 문화는 환국에서부터 시작되었지. 인간이 문화를 이루고 산 것은 약 10,000년 전부터라네. 그런데, 지금의 한민족들은 자신들의 역사를 거꾸로 헤아려도 약 2,500년 정도 밖에 몰라. 그러면 그 전에는 사람이 살지 않았을까? 단군조선부터 따져도 5,000년 역사라는데 나머지 2,500년 역사는 어디로 간 거야?"

"그러네요. 잃어버린 역사를 모르고 살고 있는 거네요."

"그렇지. 그것도 엄청 잘못 배운 역사를 진실처럼 믿고 살고 있어. 지금의 남북 한민족들은 서로 적으로 대치하면서 살고 있을 때가 아니라 뿌리를 알고 뭉쳐야 해."

"한민족과 대대로 함께 해오셨군요. 역사의 진실을 말씀해 주시겠어요?"

"그래, 우린 환국시대부터 한민족의 지하영토를 지키고 있단다. 한민족은 5,000년이 아니라 약 10,000년 전에 옥황상제께서 세워 3,000년 동안 이화세계를 이루었으며, 환웅의 배달국 1,700년, 단군조선

2,000년, 부여 700년을 이어, 고구려, 가야, 신라, 백제가 있었고 이후 통일신라와 발해를 거쳐 고려, 조선으로 이어져 내려 온 것이 한민족의 역사라네." 지쾌랑님은 계속 말씀하셨다.

"환국의 문화를 이어받은 배달국시대에 요하문명이 융성했으며, 중국의 황하문명보다 1,000년 이상 앞선 것으로 주변 국가뿐만 아니라 중국 고대문명에도 영향을 주었단다. 배달국의 왕이었던 음양오행과 주역으로 동양철학의 시조가 된 태호복희, 농업 및 의학의 발달과 교역을 추진한 염제신농, 배달국의 영토를 넓히고 문화를 전한 뿔이 달린 치우천황 등은 지금도 중국에서 그들에게 훌륭한 문물을 전수해 주었기에 신으로 받들고 있단다."

"그 배달국 이후 단군조선 시대는 약 2,000년간 지속되었으며 47분의 왕이 다스렸고, 부여도 700년 동안 태평성대를 이루었지. 그런데, 이 시대까지를 일본이 완전 날조를 해버렸고 아예 말살을 했단다. 일본은 수 천년동안 한민족의 문화혜택을 받았고 실제로 한민족의 후예들이 통치를 했지만 인정을 하지 않고 비겁한 역사를 내세우지. 섬나라로서 대륙에 대한 열등감은 항상 있었기에, 그들이 침략하여 통치했던 단한 번의 시기에 역사서를 포함한 한민족의 자긍심을 일깨우는 책들을 전국 각지에서 강제로 수거하였단다. 그 수가 수십만 권에 이르렀으며 모조리 불태워 한민족의 역사를 말살해 버렸단 말이야. 그리하여 일본의 속국이 아니라, 아예, 한반도를 일본으로 만들어 버리려고 했던 거야." "참 배은망덕한 일본이네요. 그래도, 삼국사기와 삼국유사는 남아 있잖아요."

"모든 날조에는 근거가 있어야 하지. 삼국사기와 삼국유사는 한민족 역사 연구에 유용한 것도 많지만, 책 제목에서 보듯이 고구려, 신라, 백제 삼국에 한정된 역사를 다룬 것이잖아. 역사서가 삼국에 한정되어 있기에 한민족의 역사는 이것뿐이라며 날조의 근거로 유용했기에 남겨 두었던 거지. 그 전의 역사를 들먹이는 게 위만조선이니 한사군이니 하면서 중국의 통치를 받았다고 역사를 조작했는데, 다 날조된 거짓이며 한민족의 정체성을 뿌리 뽑으려 했던 거지.”

“역사적인 열등감이 부른 야만적인 행동을 한 일본은 어떤 나라였나요?”

“일본에는 왜라고 부르는 키가 작은 원주민들이 대부분이었지. 일본을 문명화시키기 시작한 것은 4세기경 가야 부여족의 야마토 정벌 이후부터란다. 모든 문물을 전수해 주었고 수백 년 동안 일본을 통치했단다. 일본 천황의 혈통도 한국이란 건 이미 인정하는 사실인데도 일본 사학자들은 모든 문화를 한국으로부터 전수받았다는 사실을 왜곡하고 은폐하는 역사 왜곡의 선수들이지. 출토되는 유물들이 일본 고대사를 증명을 하는데도 말이야.”

“지쾌랑님. 중국은 현재 자기들의 땅에 있었던 역사이기에 요하문명도 중국 역사라고 주장을 하잖아요. 중국 역사가 아니라는 근거가 있나요?”

“원래 중국 역사서에는 만리장성 이북은 오랑캐 내지는 변방이라고 치부를 하면서 아예 역사서에 기록도 하지를 않았어. 중국에서 일어난 나라들은 200년을 못 넘기고 망했으며, 역사가 300년을 넘는 나라가 거의 없어. 그 만큼 전통성을 주장할 수 없는 나라가 중국이기에 ‘중화’ 라는 기치 아래 다 섞어버린 공동체가 중국일 뿐 혈연적인 연대가 없어. 지금도 중국인의 90%가 다 한족이라고 하지만 순수 한족은 황하강 유역에 살았던 코가 조금 납작한 사람들이 한족이었으며 30%도 안 돼. 왜 한족으로 이름을 통일했느냐 하면, 중국 역사 이래로 중국 땅을 가장 넓게 통일국가로 만든 사람이 모택동인데, 그가 바로 한족이기 때문이야." 지쾌랑님의 이야기는 이어졌다.

"만리장성 이남에 세워졌던 나라들은 항상 호전적인 장성 이북 한민족의 침략을 받았으며, 한나라 때부터 그들이 조금 강성해졌을 때 북쪽의 침략을 막으려고 만들기 시작한 것이 만리장성이야. 단군조선이 멸망하고 각지로 지역에 따라 흩어진 한민족이 몽고족, 만주족, 여진족, 거란족, 흉노족, 돌궐족 등으로 불렸지만 모두 뿌리와 그 혈통이 같은 한민족이야. 현재 중국은, 중국 땅 만리장성 이북에서 자신들보다 우월한 요하문명의 유적들이 발견되니까 당황해 하고 있어. 그리하여 내린 결론이 한민족 문화를 통째로 삼켜 버리려고 하는 것이지. 그것이 바로 동북공정이야. 요하문명이 중국 것이 아니라는 증거는 많아. 많이 출토되었고 지금도 출토되고 있는 비파형 동검, 옥 귀걸이와 옥 장식품, 빗살무늬토기 등은 몽고와 만주 그리고 한반도에서만 발견되는 유적들이거든. 그리고 고인돌과 적석총 무덤도 만리장성 이남에는 없어."

"그렇군요. 지쾌랑님. 한민족의 역사를 자신들의 역사로 편입시키려는 중국이나 민족 말살정책을 쓴 일본의 저의가 무서움을 넘어 잔인하기까지 하군요."

"윤심아. 인류의 역사는 한 번도 정의로운 적이 없었어. 지금 한민족은 정신을 바짝 차려야 할 때야. 세상이 불평등하고 불공정하지만 그것을 감수하고 산다는 건 동의할 수 없는 위험천만한 세상이야. 주위의

강대국들이 호시탐탐 자국의 이익추구에 혈안이 되어 있기에, 깨어서
외치고 한민족의 자부심으로 뭉쳐서 대처를 해야 해. 정의란 힘의 논리
가 작용하는 것이기에 한민족이 강해져야 민족의 정의가 보장되는 것
이란다.”

   ** 정의 **

   사상과 철학은
   세상이 불공정하고
   불평등하기에 존재의 의미를 가진다
   종교도 어쩌면
   불공평의 치부를 숨기려고
   극복할 수 없는 불공평을 외면한 초연함으로 자리한다
   생각과 사상이 다르고 유전자가 다른데
   공평을 원하는 건 인간사에서 이루어질 수 없는 꿈이다

   정의롭고 공평한 세상을 만들겠다고
   창과 칼, 총과 포를 앞세우며
   정의의 이름으로 무수한 인명을 살상했지만
   인간사에서 공평한 세상이란 요원한 꿈이었다
   정의의 기치가 높을수록
   힘이 막강한 세력일수록
   불평등에 신음하는 또 다른 불공평을 낳았을 뿐이다

   다름을 인정한다는 건 쉽지 않지만
   욕망을 분절하여 평안을 찾고 힘의 논리를 인식할 때

균형의 정의가 태동하여 굳건해지고
초연한 행복이 자리매김 한다
인간사는 유사 이래로 한 번도 정의로운 적이 없었다
세상은 불공평하기에 어지러운 희망이 있고
돌고 돌며 새로운 존속의 가치를 가지는 것이다

"알겠습니다. 지쾌랑님. 그런데, 지역에 따라 각지로 흩어졌던 한민족들은 지금은 어디에 있나요?"

"현재, 몽골을 제외한 한민족들은 중국에서 한족의 이름으로 살고 있지만 그 혈통은 한족이 아니야. 흩어졌던 한민족들이 고구려시대에는 다시 하나로 뭉쳤지. 그 후 원나라와 청나라 시대에 활기찬 문화를 형성했다가 흩어졌지만 한민족은 그 융성시기가 다시 오고 있어."

"한민족이 다시 뭉치는 시기가 온다고요?"

"그래, 역사는 돌고 도는 것이야. 융성한 시기가 있었으면 쇄락의 시기도 있게 마련이지. 그러나 그 뿌리를 잃어버린다거나 역사를 모르면 그 민족은 와해되고 말아. 보통, 과거는 중요하지 않다고 말들 하지만, 한 나라의 미래나 단체, 심지어는 한 객체를 판단하고 미래를 보려면 그 과거를 보아야 해. 과거는 미래의 거울이거든. 그래서 역사는 중요하고 언어와 문자는 더욱 중요한 것이라네. 핀란드는 700년 동안 스웨덴의 지배를 받았고, 유대인은 2,000년 동안 떠돌아 다녔어. 그러나 민족의 정통성을 잊지 않았고 언어를 잃지 않았기에 핀란드는 독립할 수 있었으며, 유대인들은 나라를 세우면서 정착할 수 있었지."

"민족의 정통성과 역사, 언어는 정말 중요한 것이군요. 그런데, 한민족의 시대가 다시 온다는 건 무슨 말씀인가요?

"세상은 돌고 도는 관계를 형성하고 있지. 지구가 돌고 하늘이 돌고, 역사도 관계 속에서 돌고 있단다. 상대성의 관계에서 모든 변화가 오고 역사의 흐름을 잇는 관계 속에서 행복이 오지. 한민족의 행복이 나의 행복이야. 한민족은 자부심을 가져야 해. 한민족이 뿌리를 찾아 대 화합을 이루는 행복의 이화세계가 도래할 거야. 그때에 나는 임무를 끝내고 천상계의 용이 되기 위해 올라간단다."

** 관계(행복) **

삼족오가 하늘을 날고
천마가 하늘을 날아 다녔어
행복의 근원을 알고 싶었지
행복은 신이 만든 게 아니라
역사 속에 살아서 전승되는 진실임을 알았어
뿌리가 없는 나무처럼 살았던 거야

행복의 주체는 시간
시간은 역사가 되고
역사의 흐름을 이어가는 관계 속에 행복이 있었어
살면서 마주하는 상큼한 느낌
시간을 타고 가며 겪는 기분 좋은 경험이 행복인 줄 알았지
나만의 행복이었어
내 안에 나를 가둔 행복이었던 거야
나의 뿌리를 모르고 내 민족의 정체성을 모른 채
지극히 개인적인 기쁨이 행복인 줄 알았어

행복은 역사를 거슬러 올라 왔고
역사를 창조하며 흘러갈 거야
살아 숨 쉬는 역사의 관계 속에 내가 있고
내가 가진 시간을 나누는 관계 속의 행복

상큼한 느낌과
좋은 경험도 결국은 관계에서 오는 것이고
생명체들과의 좋은 관계, 심지어 무생물까지…
행복은 세월을 다스리는 관계 속에 있었던 거야
삼족오가 하늘을 날고
천마가 하늘을 날아 다녔어

지쾌랑님은 한민족의 앞날을 예견하고 있었으며 이야기는 계속 되었다.

"근래에부터 한민족의 터가 서서히 뜨거워지고 있어. 한민족은 지금부터 준비를 해야 돼. 주변 환경이나 기후, 과학의 발달이 한민족의 융성을 도우고 있어. 온난화현상의 주된 이유가 환경오염이라고 하지만 사실이 아니야. 환경오염의 영향은 크지 않고, 땅의 정기가 뜨거워지고 있다는 사실을 직시해야 돼. 즉, 지구 자체가 변하고 있단다. 근래에 자주 폭발하는 화산과 대 지진은 환경오염과는 전혀 상관이 없으며 지구 자체가 뜨거워지고 있는 것이야. 지구 운기가 열을 내고 한민족의 고토인 만주와 몽골, 시베리아 벌판은 사계절이 뚜렷한 대 평원이 될 거야. 시간이 지나고 과학이 발달할수록 국경의 개념이 허물어지고 있으며 그 땅위에 사는 종족이 중요해 지고 있어. 문화의 차이는 통신과 방송매체의 발달로 급속하게 탈문화의 시대를 맞고 있으며, 언어장벽도

스마트기기들이 다 해결을 할 거야. 위 아 더 월드(We are the world)라고 하여 문화가 혼합되고 있으며 이미 유럽은 'EU'로 하나가 되고 있잖아. 자연스럽게 융합이 되고 있지만 피는 속일 수 없기에 같은 민족끼리는 국가의 개념을 넘어 다시 뭉치고 화합을 하게 되어 있는 것이란다. 그래서 한민족의 뿌리를 고스란히 간직하고 있는 남, 북한 민족은 긍지를 가져야 해. 다시 말해, 어서 통일을 이루고 위대한 한민족의 정기로 흩어져 있는 민족을 뭉쳐서 고토 문화 융성시대를 맞이해야 하는 것이야. 지금부터 한민족은 자긍심을 가지고 준비를 해야 돼. 현재 직면한 남, 북 통일의 당위성을 이야기해야겠구나. 왜 통일이 필요한가 하면, 한민족의 융합이 그 첫 번째요, 노동 생산성 향상이 두 번째며, 고토 회복을 위한 인구증가가 그 세 번째 이유란다."

"한민족의 시대가 점점 다가오고 있으며, 그 시발점이 한반도여야 한다는 말씀이네요."

"그렇지. 나랑 한민족의 발자취를 둘러볼 텐가? 나는 땅속을 관장하기에 쉽게 갈 수가 있지"

"제가 어떻게 따라 갈 수 있지요?"

"나는 유체이탈을 할 수 있다네. 내가 가고자 하는 곳에 영적인 상태로 가면 육은 따라서 온다네. 나의 몸에 붙어 있으면 함께 갈 수가 있지."

나는 지쾌랑님의 앞가슴에 착 달라붙어 몸을 밀착시켰다. 그는 빛의 터널을 회오리바람을 일으키며 가는데 나는 그냥 꿈을 꾸는 것만 같았다. 요녕성의 강상총과 누상총에 도착을 하니 단군조선의 지하세계가 펼쳐졌고 화려한 문명이 2,000년을 지속한 이유를 알 수 있었다.

강상총 아래의 지하궁은 많은 석곽들로 이루어져 있었으며 중앙의 큰 석곽 안으로 들어섰을 때였다. 싸늘한 기운이 감돌고 석곽 사이로 검은 연기가 나오더니 으스스한 연기 속에 검붉은 괴물이 나타나는 게 아닌가. 지쾌랑님이 일갈 했다.

"웬 놈이 허락도 없이 여기에 있는 거야?"

"네 놈이야 말로 누구기에 남의 땅에 함부로 들어와서는 큰 소리야." "뭐라고? 나는 한민족의 지하세계를 관장해 온 지쾌랑이야. 네놈의 정체를 밝혀라." "흠, 흠. 당신이 지쾌랑이군. 진시황제가 6국을 통일하고 북방정벌을 하러 여기로 오시다가 사망을 했지. 그 때에 나는 여기에 왔었으며, 지금은 여기가 중국 땅이기에 내가 관장을 하려고 온 춘핑궈야. 한 발자국만 더 들어오면 용서하지 않을 테다."

"무슨 개뼈다귀 같은 소리. 여기는 환국시대부터 한민족의 땅이었으며, 수천 년의 역사가 살아 숨 쉬는 곳이야. 어서 썩 나가지 못할까?"

"어라? 경고 하는데 한 발자국만 더 들어와 봐라. 네놈을 아작 낼 테다."

"개 풀 뜯어먹는 소리. 할 테면 해 봐라 이놈아."

지쾌랑님은 일각의 주저함도 없이 성큼성큼 안으로 들어갔다.

춘핑궈는 온 몸이 검붉었으며 앞 발톱이 날카로운 용같이 생긴 이무기였다. 시커먼 연기를 뚫고 입을 쩍 벌리고는 지쾌랑님을 할퀴려고 '쉬익' 소리를 내며 머리 위로 덤벼들었다. 지쾌랑님이 슬쩍 피하면서 단박에 머리로 복부를 쥐어박으니 '쿵' 소리와 함께 석곽 벽에 나가 떨어졌다. 화가 난 춘핑궈가 이번에는 입에서 불을 뿜고 날카로운 발톱을 휘저으며 날아들었다. 지쾌랑님은 공중에 빙글 몸을 날리더니 꼬리로 춘핑귀의 대갈통을 사정없이 후려쳐 버렸다. 석곽 바닥에 머리를 쳐 박으며 꼬꾸라진 춘핑귀가 피를 흘리며 일어나더니 황급히 줄행랑을 치는 게 아닌가. 도망가는 춘핑귀를 보며 지쾌랑님이 한마디 했다.

"에라이 춘핑이 같은 놈아, 한 번만 더 얼씬거리면 요절을 낼 테다."

무서움에 소름이 끼쳐 꼼짝을 못하고 있는데, 언제 그랬냐는 듯 지쾌랑님이 부드럽게 이야기 했다.

"어서 가자 윤심아. 아직 볼 것이 많아."

지쾌랑님은 부여문화인 모아산과 서단산 속을 낱낱이 보여 주었으며, 동북 아시아의 패권국가인 고구려로 이어짐을 설명해 주었다. 고구려가 건국된 졸본(환인)지역으로 가니 연꽃무늬만 남아있는 동명성왕 주몽의 무덤은 이미 중국 당국이 발굴을 했지만 어떤 유적이 나왔는지 전시를 하지 않고, 발표를 하지 않은 채 흙으로 덮어 버린 건 자신들의 역사가 아니라는 걸 시인하는 절대적 증거가 아닐까. 국내성이었던 지안지역에 광개토대왕의 태왕릉과 장수왕의 장군총도 이미 도굴을 당한 상태에서 발굴 작업을 했지만 출토물에 대하여 중국은 한마디 말이 없다. 돌을 피라미드 형태로 축조한 거대한 적석총 내부는 찬란한 문화국의 흔적을 유감없이 말해주고 있었다. 한민족은 참으로 위대한 민족임에 틀림없었다. 꿈을 꾼다는 것이 이런 것일까. 유체이탈의 상태에서는 어떤 곳도 갈 수 있었으며, 잠을 자는 동안에도 영은 깨어있기에 꿈을 꿀 수 있는 것이 아닐까. 꿈은 현실에 내재된 실체의 영이 또 다른 모습으로 스스로를 일깨우는 환영이라는 생각이 들었다. 지쾌랑님이 설명하는 한민족의 영은 수천 년을 거쳐 연연히 이어지고 있음을 느낄 수 있었다. 우리는 다시 산명호로 돌아왔다.

"윤심아, 이제는 왜 한민족이 화합해야하는지를 알 것 같니?"

"예, 한민족이 현재 한반도에 분단국가로 존속한다는 게 너무나 슬프네요."

"그 이유를 알았다면 이제 가 보시게. 그리고 자네는 모든 생물체와 대화를 할 수 있으니 이러한 사실들을 널리 알려주시기를 간곡히 부탁을 하네."

지쾌랑님은 감사의 말씀과 안녕을 고할 시간도 주시지 않고 스르르 산명호로 몸을 숨기셨다.

시간이란 가는 것일까 머물러 있는 것일까. 우리는 스스로 늙어 감을 세월이라고 부르는지도 모른다. 변해가는 과정을 시간이라고 부르고 과거라는 이름의 역사를 기록하는지도 모른다. 시간은 가만히 있는데 삶이 가는 게지…

과거 또는 추억을 아름답게 만들기 위해 현재를 살아가는 것이요, 밝은 미래를 위해 서로 돕고 뭉쳐야하는 시점에 한민족이 와 있는 것이다.

시간은 흘러 2018년 4월 27일이 되었다. 한민족에겐 축복의 날이요, 세계를 향한 힘찬 시발점이며, 길이길이 기억될 날로 한민족과 함께 할 것이다.

** 한민족의 봄 **

2018년 4월 27일은 역사가 축복할 날
한민족의 미래가 충천하여 세계로 나아가리라
이제…
염원이 이루어지고 분열은 끝이 났다
미래의 시작이요
세계 역사의 시작이다
봄이 왔다 봄이 왔다 한민족의 봄이 왔다
비극과 반목, 슬픔이 사라지고
봄이 왔다 봄이 왔다
우랄알타이어 산맥에 봄이 왔다
한민족의 요하문명이 되살아나고
흩어졌던 민족이 기개를 펴며 비상 하리라
가장 우수한 세상문명의 뿌리였던
한민족에게 고토회복의 봄기운이 왔다
만주벌판에도, 연해주에도
저 멀리 시베리아 바이칼호까지 봄이 오리라
시대의 부름이요, 하늘의 사명을 받아
한민족의 터전은 하나가 되어 웅비하리라
봄이 왔다 봄이 왔다 한민족의 봄이 왔다

토룡선생 옥상기! (土龍先生 屋上記)

글 유 성 봉

토룡이란 우리말로 지렁이를 말한다. 일반적으로 징그럽고 혐오스러운 동물로 인식되어 있다. 그래서인지는 몰라도 사람들로부터 호감을 받지 못하고 관심밖에 놓여 있는 것 또한 사실이다. 그러나 알고 보면 지렁이는 깨끗하고 이로운 동물이다. 그 종류만도 1,800여 종에 달한다고 한다.

습기를 좋아해서 흙 속에서 생활하며 흙을 먹어 그 속의 유기물을 흡수하고 토양은 배설을 하는데 그 배설물은 땅을 부드럽고 촉촉하게 하여 식물의 뿌리가 잘 자랄 수 있도록 좋은 환경을 만들어 준다고 한다.

그래서 지렁이가 많은 밭은 작물의 생육이 좋아 비옥한 토지라고 말하며 땅속의 용이란 이름이 부쳐 우대하게 되었는지 모르겠다. 한방에서는 토룡탕이라고 해서 보양강장제로 소개되기도 했고 한 때는 토룡

양식이 호황을 일으키기도 했다. 영양탕처럼 애호가들의 깊은 사랑을 받았음도 주지의 사실이다.

살갗 호흡을 하며 장마철엔 지상에서 자주 만나게 되는데 토양에 물이 차서 산소 부족으로 호흡을 하기 위한 외출 중이라고 한다. 가장 위험한 산책길임을 알고 있으나 고래가 주기적으로 물 밖에서 공기를 호흡하듯 토룡도 숨은 쉬어야 하기 때문에 선택의 여지는 없는 것이다.

밟혀 으깨지거나 새들의 공격이며 갑작스런 햇볕으로 방향을 잃고 건조되어 고사되는 비운의 종말을 맞게 되는 경우도 이때다.

그러나 '지렁이도 밟으면 꿈틀 댄다'는 말이 있는 것을 보면 평생 큰소리 한번 치지 못하고 지고만 사는 나약한 미물임에는 틀림없지만 나도 살아 있다는 신호로 자기 보호의 본능을 발휘하는 능동성의 표출로 해석하고 싶다. 소리 없는 함성에도 귀를 기울여야 한다는 항변인지도 모르겠다.

눈도 없는 두더지의 밥이요, 병아리마저 쪼아 먹는 영양 덩어리요, 모든 물고기들이 죽음도 불사하고 덤벼들어 낚시꾼들의 짜릿한 손맛을 돋우는 기호식품 1호인 토룡선생! 그런 토룡선생을 나는 오늘 토룡선생이 도저히 살수 없는 콘크리트 건물 사무실에서 만났다.

지난해 꽃은 생을 다했으나 겨우내 '베란다'에서 모진 추위를 감내한 조그만 화분을 사무실로 가져와 다른 꽃의 분주를 위하여 흙을 쏟았다.

부드럽게 보슬 거리는 흙과 함께 10cm도 넘어 보이는 담홍색의 건강한 토룡선생이 목에 흰목도리를 한 채 갓 잡아 올린 생선처럼 펄떡거린다. 순간 놀랍고 반갑고 걱정이 교차한다.

어떻게 해서 여기까지 오게 되었으며 어떤 대접을 할 것 인가가 난감하다. 어린 실지렁이 시절 농장의 거름 덩어리 흙에서 화분으로 옮겨졌고 화분에서 1년을 생활한 두 살배기일 것으로 생각된다. 좁은 화분 속에서 외롭게 뿌리와 대화하면서 욕심 없이 주고받은 공생의 미덕으로 건강성을 유지한 것 같다. 어떻게 모셔야 할 것인지 측은하고 가여워진다.

화분에 그대로 두었다간 장래가 보장 될 수 없다. 화분이 마르면 고사될 것이다. 그렇다고 콘크리트 거리로 던져 버릴 수도 없고 쓰레기통에 넣어버린다는 것은 더욱 안타까울 뿐이다. 생명은 고귀하고 더불어 살아야 하는 친 환경주의자를 자처하는 사람으로서 말이다.

가깝고 안전한 곳은 옥상의 화단이 제격이라는 생각이 떠오른다. 손바닥의 간지러움을 느끼며 옥상으로 데리고 갔다. 날씨는 쾌청하고 공기는 따스하다.

며칠 전 내린 비로 토양도 습기를 머금어 촉촉하고 부드럽다. 겉 땅을 헤집고 토룡선생을 놓아 주었다. 본능적으로 흙속으로 머리를 들이민다.

좋은 친구 만나서 사랑도 나누고 활발히 토양 개량 사업도 실시하여 옥상의 정원을 예쁘게 만들어 다오! 뇌까려 본다. 더 욕심을 부린다면 가깝고도 먼 이방지대 같은 새로운 환경에 이민인지 여행인지 알 수 없는 개척의 땅! 성공적 정착을 걱정 어린 마음으로 빌어 본다.

나아가 '글로벌' 토룡부대라도 편성하여 사막 비옥화 '프로젝트' 라도 추진하여 푸른 숲 울타리로 황사의 내습 막아주고 미세먼지 정화시켜 주는 애국적 행사에도 일조하기를 기대하며 흙을 덮어주었다. 토룡선생 안녕! 토룡선생 만세!

(2019, 03.10.)

대한민국 건국헌법과 사회보장의 권리

글 머리에 ---

글 오흥범

자유민주주의 헌법에서 추구하는 최고의 가치는 인권보장이고 이를 담보하기 위한 헌법원리가 권력분립으로 나타난다. 국가권력을 입법 집행 사법의 셋으로 나누고 이를 3권 분립이라고 하며, 그 중 사법부는 권력으로부터 인권을 보장하는 최후의 보루[1]로 기능함을 원칙으로 한다.

그런데, 최근 세간에 회자되고 있는 현직 도지사의 1심법원 판결에서 실형선고 및 법정구속이 있었고 상급심인 2심재판부의 구성 등과 관련하여 재판을 받는 당사자인 원고·피고도 아닌 집권당과 이른바 시민단체가 재판결과가 잘못됐다고 주장하면서, 판사 탄핵 및 2심 재판부에 대한 불복을 거론하고 있다.

---

[1]   사법부가 권력으로부터 영향 받지 않고 재판에 전념할 수 있기 위하여 헌법은 판사의 신분을 보장하고 법과 (판사개인의)양심에 따라 재판할 것을 요구하였고, 재판결과가 마음에 들지 않으면 당사자는 상급법원에 재심 또는 3심을 청구할 권리를 인정하였다. 따라서 재판 결과에 대하여 제3자가 관여하거나 평가할 수 없는 것이다.

이는 자유 대한민국 헌법이 보장한 판사의 재판을 부정하고, 마치 공산당 1당 독재를 표현하는 북한의 헌법에서 정한 판사의 역할

"… 우리나라의 법은 우리 국가의 정책을 실현하기 위한 중요한 무기입니다. 우리 국가의 정책은 당의 정책입니다. 우리 당의 정치노선과 정책을 모르고는 법을 집행할 수 없습니다. 법률을 집행하는 일군들은 우리 당의 정책과 국가의 모든 방침을 실행하는 정치 일꾼이라는 것을 알아야 합니다… 법은 정치의 표현이기 때문에 정치에 복종되어야 하며 그것과 분리될 수 없습니다"[2]

'공화국 재판소는 우리 당 정책의 충실한 집행자이기 때문에 판사는 엄격히 당 정책에 입각하여 법령의 내용을 자주적으로 판단하고 사건을 해결할 의무가 있다. 판사들의 활동은 인민의 의사, 우리 당의 의사에 엄격히 합치되어야 한다. 당의 정책과 법령에 정확하게 의거하여 활동하는 것이 바로 판사독립의 본질이다.'[3]

를 따라하자는 것 같아서 씁쓸하기 짝이 없는 것이다. 이는 자유민주주의 대한민국의 헌법질서를 파괴하려는 불순한 궤변인 것인바, 이 나

2] 김일성, '우리 당 사법정책의 관철을 위하여', 김일성선집, 제5권, 평양: 노동당출판사, 1960, 451-52쪽을 인용한 姜求眞, "大韓民國과 北傀의 法的體系比較", 共産圈研究所 編, '北韓法律體系研究', 서울: 高麗大學校 亞細亞問題研究所, 1972, 272쪽을 인용한 吳興範, "北韓憲法上의 統治構造에 관한 研究", 碩士學位論文, 仁川: 仁川大學 教育大學院, 1987, 70쪽에서 다시 인용함.
3] '조선민주주의인민공화국' 과학원 경제법학연구소, '조선민주주의인민공화국 국가사회제도', 평양: 과학원출판사, 1963, 122쪽을 인용한 張明奉, "北韓의 社會主義憲法上의 '國家機關體系'" 法政論叢 第5輯, 서울: 國民大學校 法學研究所, 1982, p.161을 인용한 吳興範, 위의 논문, 72쪽에서 다시 옮김.

라의 자유민주주의와 시장경제제도가 어디로 가고 있는지 지켜볼 일이다.

◆ 한국의 역사

아프리카에서 탄생한 인류(크로마뇽인)는 지구 생태계의 변화로 인해 살기 좋은 곳을 찾아 7~8만 년 전 아프리카를 떠나 무리지어 북상하였다. 그런데 가장 살기 좋은 곳(이른바 성서의 에덴동산)을 찾아 북상한 인류 앞에는 그 곳을 먼저 차지하고 살던 인류(네안데르탈인)가 있었다.

그러나 이 네안데르탈인을 쫓아내고 에덴(하늘=시베리아)을 차지한 인류가 있었으니, 이는 바로 우리 한국인의 선조(샴족=성서의 셈족)들이었다.

선조들은 그 곳(하늘)에서 살면서 지구환경의 극심한 변화(빙하기)를 겪으며, 영하 5~60도의 매서운 추위 속에서 살아남기 위해 체표면을 줄여 에너지 손실을 최소화하는 혹독한 진화를 누대에 걸쳐 거듭하였다.

우리 선조들은 삼신할머니(샴신)의 가르침을 전하는 삼신의 후예(=웅녀)를 지도자로 하는 모계사회를 이루고 63,000년을 지나면서 불을 발견하고 언어를 발달시키고 석기 청동기 철기문명을 일구어 내었고 추위를 이기기 위해 옷을 만들어 입었다.

그 후 남성 중심의 부계사회로 전환하면서 족명을 샴족에서 환족으로 삼신할머니(여신)를 삼신할아버지(남신=환님=하느님)으로 바꿔 섬기면서 인류 최초의 국가 환국(桓國)을 시작하였다.

빙하기가 끝난 후, 하늘(=에덴=시베리아)을 떠나 땅(=동북아시아=동시베리아)으로 이주한 천자 환웅이 세운 환국이 개천하자, 환님(=환인=하느 님)은 하늘을 닫고 우리의 선조인 환족을 전부 땅의 환국으로 이주시 켰다.

그 후, 한웅천왕으로부터 한국(漢國)[4]을 물려받은 풍백 헌원(=중국사 에 배당한 황제)은 세계를 정복하여 인류 역사이래 5,300년동안 전 세계 를 통치한 초 거대국가 한국을 세웠다.[5]

초 거대국가 한국을 세운 황제 헌원은 천자 환웅이 지상으로 하강 하여 세운 본래의 한국이었던 동북아시아를 6만 년 전에 하늘을 떠나 예니세이강가로 이주하여 모계사회(샴족)를 계속하던 샴신의 후예(=웅 녀)와 지상으로 내려온 환웅의 후예인 한웅천왕[6]과의 사이에서[7] 무녀 독남으로 태어나 웅녀의 모계사회를 물려받아 부계사회로 바꿔 다스리 던 샴족 단씨의 후예를 찾아내어 동북아시아의 제후(단군)로 삼았다.

그러나 황제 헌원이 세계 초 거대국가 한국을 세운지 5,300년만인 1392년에 한(민)족은 나라(宋)를 빠이엔티무르(이성계)라는 여진족 노예 에게 빼앗겼다. 그 때부터 漢(民)族의 마지막 세계제국 '송'은 여진족 빠이엔티무르에 의해 명(明)으로 개명하였고, 한족은 천자의 지위를 잃

4] 하늘의 환국에서 지상으로 내려와 환국을 세운 환족은 먼저 하강한 동족인 셈 족과 혼혈이 계속되어 환족의 혈통을 잃고, 족명을 한족으로 바꾸고 천자의 호칭 환웅을 한웅으로 나라이름 환국도 한국으로 바꾸었다. 그 후 세계 초거대국가로 한국이 발전하면서 부가 한족이면 모는 한족이 아니어도 한족으로 인정하기에 이 르렀다.
5] 황영희, 과학기록으로 찾은 한국사2, 서울: 타임비, 2012, 763쪽 전후.
6] 환인과 삼신의 후예인 한웅천왕은 자신의 영토를 순시하다가 삼신을 섬기는 모 계사회를 계속하기 위해 하늘을 떠난 웅녀의 후예를 6만 년 만에 예니세이강가에 서 만나서 결혼을 하였다. 단군신화는 이를 신화로 기록한 것이다.
7] 황영희 앞에든 책, 521쪽

고 여진족의 노예로 전락하였다.

천자의 지위를 훔친 여진족 황제는 동북아시아(황실의 직할영토) 왕을 자신의 아들로 봉하고 나라 이름도 본래 왜의 나라중 하나였던 '고려'(COREA)로 바꾸었다.

천자의 직할 제후국인 동북아시아[8]의 순수한 한족(漢族)들은 어쩔 수 없이 그 순수성을 잃고 고려인으로 불리며 여진족과 섞여 살다가, 1592년 정명가도를 외치며 침략한 송나라 유민의 후예가 세운 일본의 도요토미 히데요시가 일으킨 임진왜란으로 인구의 절반이 죽는 극심한 피해를 입게 되었다.

물론 임진왜란의 후유증으로 여진족 황제의 명도 수도 북경을 청에 내어 주고(병자호란 등) 사실상 멸망하자 고려는 동북아시아(만주영토와 수도 심양)를 명 황제에게 내어주었고, 고려는 간도, 사할린, 북해도 및 한반도로 영토가 축소되면서 한반도로 옮겨오게 되었고, 한성(漢城)으로 서울을 삼았다.

◆ 여진족의 몸부림

고려의 수도였던 심양에서(명이라는 이름도 없이 고려와 일본이라는 2개의 제후국만을 거느린 채로) 황제를 칭하던 명은 청의 계속되는 침략을 견디지 못하고 철종 때에 멸망하였다.

이에 후일 대원군으로 불린 하응은 아들 명복을 영조의 현손으로 입적시켜 명의 황제(고종)를 계승하였다고 선언하였으나 청은 인정하지

8]   천자(송태조 조광윤)의 증손자를 왕(제후)으로 삼고 천자의 직할 영토로 관리하던 탓에

않았다.

이에 대한(大韓)이라는 새로운 국호(제국)를 정하고, 심양을 수도로 삼고 버티었으나, 청은 이마저도 인정하지 않고 대한국(大韓(帝)國)을 점령하였다.

1870년, 고려로부터 떼어 받은 만주영토를 다시 청에 빼앗긴 명(대한국)은 다시 제1제후국 고려의 서울 한성(漢城)으로 들어와 고려를 폐지하고 (이씨)조선을 만들었다.

그러나 조선은 고려와 함께 자기의 두 번째 제후국이던 왜(일본)에 합병되었고, 여진족 황제(조선국왕)는 왜(일본)의 황족으로 편입되었다.

1392년 한국이 멸망한 후에, 비록 나라 이름은 왜의 나라 고려로 바뀐 채 여진족 왕의 지배를 받았어도, 환웅이 하늘에서 땅으로 내려와 세운 원래의 한국(동북아시아)땅에서 한족(漢族)이라는 족명과 문화전통을 지키고 살던 한민족(漢(民)族)은 결국 왜(일본)의 노예로 전락하였다.

이제는 한족이라는 족명도 화하(중국)에 내주고 여진족의 갈래인 예·맥족으로 바뀌 불리게 되었고, 한국의 역사도 화하에게 빼앗기고, 조선사라는 만들어 준 역사(한반도 밖으로 나가 본 적이 없다는)를 학교에서 암송하는 처지에 이르렀다. [9][10]

우리는 대한민국 임시정부가 1919년 4월에 성립되어 수십 년의 투쟁을 하였다고 배웠지만, 대한민국임시정부는 하나의 합법정부로서 승인을 받은 예는 거의 없었다.

9] 황영희, 앞에든 책.
10] 카이로선언 : 코리언의 노예상태...

처음으로 대한민국 독립안이 통과된 것은 조소앙이 참석한 만국사회당대회(제1차 모스크바 코민테른회의, 1919. 9. 8.)였고, 그 후 몇몇 정부에서 임시정부를 승인했다는 설이 있으나, 대한민국임시정부가 정부승인에 대한 끊임없는 노력을 하였음에도 불구하고, 세계 여러 국가들로부터 공식적인 정식승인을 얻지는 못하였다.

그 이유가 몇 가지 있으나, 그중 외적 요인은 차치하고, 내적 요인으로는 임시정부 자체가 승인받을 수 있는 요건을 불비한 것과 독립단체끼리의 내부 불화 등을 들 수 있다.[11]

◆ 대한민국 건국

국제법상으로는 일국의 영토가 타국가에 의하여 병합되어서 일국이 존재하지 않게 된 후에, 존재하지 않게 된 국가의 인민(동일한 인민)이 동일한 영토 위에 하나의 독립국을 수립하였다고 하더라도 국가로서의 계속성은 중단된다. 따라서 대한(제)국에서 대한민국임시정부가 나왔다는 법적 계속성은 인정될 수 없는 것이다.

같은 논리로 1948년 대한민국 건국은 1948년 7월 17일 대한민국의회가 제정 공포한 대한민국 헌법에 의하여 새로운 독립국가로 출발하였다.

이 말은 대한민국헌법의 제정인 것이므로 대한(제)국이나 일본제국(조선총독부) 내지 대한민국임시정부 헌법 또는 미군정 법과 상관없다는 뜻이다.[12]

11] 김영수, 한국헌법사, 학문사, 2000, 235~37쪽.
12] 이는 북한도 같은 논리로 조선의 계승국이 아닌 것이다.

더욱이 대한(제)국의 계승자도 아니고 하나의 국가로 승인도 받지 못한 대한민국임시정부헌법을 (대한민국 제헌헌법이) 정신적으로 계승했다는 정치적 수사는 1948년 대한민국헌법 제정권력인 제헌의회를 희화화하려는 것이라고 하겠다.

따라서 1987년 개정된 현행 헌법 전문의 대한민국 임시정부 법통 계승 운운하는 구절은 법적 구속력도 없는 규정이지만, 만일 그 실효성을 주장한다면 1948년 대한민국 헌법 제정 권력의 의사를 무시한 신헌법 제정에 다름 아니라 하겠다.

같은 논리로 현행 헌법을 통일헌법으로 개정 운운하면서 단일국 헌법인 대한민국 헌법을 연방국 헌법으로 개정하려는 것은 결코 헌법 개정이 아니라 대한민국이라는 단일국을 해체하고 ○○연방국이라는 신국가를 창설하는 것인바, 이 경우에 단일국 대한민국 헌법을 연방국 헌법이 계수하였다고 볼 수는 없는 것이다.

결론은 구 일본제국 조선총독부 신민 중 미군정 점령지 거류민인 고려인[13]은 유엔의 결의에 따라 1948년 7월 17일 제정된 헌법에 의거 그해 8월 15일 신생 독립하여 대한민국의 국민이 된 것이다.

다른 어떠한 수사도 1948년 대한민국 건국을 뒤집을 수 없는 것이다.

◆ 기본권의 실효

헌법상의 통치구조는 연방제로 하고 경제는 사회주의체로로 개정한다는 특정 정치세력에 대하여는 구 서독 기본법(헌법적 지위)이 규정하고

13]   카이로 선언에 언급된 코리언 노예

있던 '자유민주적 기본질서의 보장(기본권 실효)'에 대한 것을 깨우쳐 주고 싶다. (구 서독 기본법에 있어서) 기본권은 일반적으로 통용되므로 헌법의 적들도 기본권을 원용할 수 있다.

헌법의 기초 및 기본권적 자유를 배제하는데 그 목적이 있는 투쟁에 이런 식으로 기본권적 자유가 이용될 위험이 있기 때문에, 구 서독 기본법 규정은 '자유민주적 기본질서를 공격하기 위하여 언론의 자유, 교수의 자유, 집회 또는 결사의 자유, 서신.우편 및 전신의 비밀, 재산권 또는 망명자비호권을 남용하는 자는 이들 기본권의 효력을 상실한다' (실효기본권). 기본권은 그 기본권의 정신에 따라서만 행사되어야지, 그 정신에 반하여 행사되어서는 안 된다고 하였다. 단, 기본권의 실효에 대하여는 연방헌법재판소만이 결정할 수 있다. 따라서 '기본권의 실효'와 동일하게 되는 구성요건을 입법자가 규정함으로써 연방헌법재판소의 기본권 실효결정의 독점을 유명무실하게 하는 것은 허용되지 않는다.

또한 헌법 적대적 정당의 창설은 금지되고 있다. 구 서독 기본법은 자유민주주의의 한계문제를 이른바 '투쟁적 민주주의'라는 결단을 통해서 해결하고자 한 것이다. 따라서 우리 헌법재판소의 위헌정당 해산 결정에 대한 최근의 비난여론은 우리 헌법이 추구하는 자유민주적 기본질서를 파괴하는 우를 범하는 것이다.[14]

14] 콘라드헷세 저, 계희열 역, 서독헌법원론, 삼영사, 1985, 403~09쪽, 阿部照哉 外 譯, コンラ-ト.ヘッセ, 西ドイツ憲法綱要, 日本評論社, 1985, 352~57쪽.

◆ 사회보장의 권리

제2차세계대전 이후 발간된 국제문서에는 '사회보장의 권리'(the right to social security)라는 표현을 사용하고 있다.

국제연합은 '가맹국가의 국민들은 기본적 인권, 인간의 존엄과 가치 그리고 남녀평등에 대한 확신을 현장에서 재확인하고 보다 자유로운 가운데 사회적 진보와 생활수준의 향상을 촉진할 것'을 결의하였다.

세계인권선언은 '모든 사람은 사회의 일원으로서 사회보장을 받을 권리가 있다'(1948)고 선언하고 있다.

1966년의 '경제적, 사회적, 문화적 권리에 관한 국제규약' 제9조는 체약당사국은 '누구든지 사회보장을 받을 권리'를 인정해야 한다고 규정하고 있다.

19세기 전반을 지배하던 개인주의적 자유의 법 원리는 퇴색하고 생존권 이념에 따라 무갹출제 노령연금법, 국민보험법 등의 사회보험 입법이 제정되기에 이르렀다.

자본주의가 고도화하고 독점화함에 따라 경제적 자율기능이 상실되고 국가의 대내외적 모순들이 확대, 심화되면서 국가는 시민사회의 외재적 위협으로부터 개인의 자유를 방어하려는 종래의 소극적 입장을 버리지 않을 수 없게 된다.

즉 국가는 경제의 재생산과정에 적극적으로 개입하게 되고 경제적 시민사회를 안에서 떠받치는 기둥 노릇을 대신하게 된다.

'공공복지'의 이름으로 자본주의사회의 법적 기초라고 할 수 있는 사적 소유권과 경제활동의 자유를 대폭 제한한다(소유권은 의무를 수반한다-바이마르헌법 제153조 3항).

인간의 존엄에 기초한 생존권 이념의 시각에서 보면, 생존권적 권리들이 사적 소유권과 경제활동 상의 자유들보다 원리적으로 우월한 위치를 차지하고 있다고 할 수 있다.[15]

사회보장권의 뿌리는 생존권 사상 내지 생존권 이념에서 찾고 있다 (일본헌법 제25조) 생존권은 개인의 실질적 자유나 생활 욕구를 인간이면 누구나 향유하여야 할 근원적인 권리로 보며, 이를 구체화하기 위하여 국가가 적극적으로 개입하는 것은 인간적 정의의 이념과도 합치된다.

이러한 '사회보장을 받을 권리'는 주로 '사회보험'과 '공적 부조'를 중심으로 한 좁은 의미의 사회보장관계 권리를 가리킨다.

넓은 의미의 사회보장에 포함되는 이른바 '사회복지', '의료' 등에 관한 권리들은 사회보장을 받을 권리와는 별도로 규정되고 있다.

◆ 근로자의 이익분배균점권

사회보장의 권리에 대하여 대한민국 제헌헌법 전문 제3단은 '정치 경제 사회 문화의 모든 영역에 있어서 각인의 기회를 균등히 하고 능력을 최고도로 발휘케 하며 각인의 책임과 의무를 완수케 하여 안으로는 국민생활의 균등한 향상을 기하고……' 라고 규정하고 있다.

이에 따라 국민생활의 균등한 향상을 기하기 위해 근로의 권리, 근로자의 근로3권과 근로자의 이익분배균점권, 생활무능력자 등에 대한 국가의 보호를 규정하여 사회보장의 권리(생존권 보장)를 인정하였다.

특이한 것은 헌법기초위원회의 초안에는 없던 근로자의 이익분배균

15] 片岡舜, '現代勞動法의 展開', 岩波書店,1983, 211-30을 인용한 국순옥(편역), 자본주의와 헌법, 도서출판 까치, 1987, 154-65쪽에서 인용함.

점권(제18조)이 국회 본회의 심의과정에서 추가되었다는 점이다.

그러나 당시 다른 나라의 헌법에서는 유례를 찾을 수 없던 독특한 이 이익분배균점권[16]은 제3공화국 헌법에서는 사라졌다.

제30조에 인간다운 생활을 할 권리와 국가의 사회보장 증진 노력이라는 추상적 규정으로 대체되었다.

현행 헌법이 1987년 개정된 지 30여년이 되었다. 기본권, 권력구조 등 헌법 개정에 대한 여러 논의가 쏟아져 나오고 있다.

제헌헌법이 목표했던 '정치·경제·사회·문화의 모든 영역에 있어서 각인의 기회를 균등히 하고 능력을 최고도로 발휘케 하며 각인의 책임과 의무를 완수케 하여 안으로는 국민생활의 균등한 향상을 기하고...' (전문 제3단) 국민생활의 균등한 향상을 기하기 위한 근로의 권리, 근로자의 근로3권과 근로자의 이익분배균점권, 생활무능력자 등에 대한 국가의 보호규정을 검토하여 사회보장의 권리(생존권 보장)를 인정해야 할 것이다.

16] 시장경제를 추구하는 자본주의경제제도에서 '근로자의 이익분배균점권'이 구체적으로 무엇을 뜻한 것인지, 왜 국회 본회의 심의과정에서 추가되었는지 알 수 없지만, 경제가 발전할수록 부의 불평등이 극도로 심화되고 있는 현시점에서 볼 때, 분배의 왜곡을 어느 정도는 막을 수 있지 않았을까 하는 아쉬움이 남는다.

심명숙

조희완

전규태

제4부

아침이슬 같은
감성을 쓰는 사람들

김유조

장재덕

최창재

이원경

유성봉

황정연

사진 조병준

김유조

크루즈 뱃노래 여섯 가락

들머리, 푸에르토 리코에서

글·사진 **김 유 조**

서인도 제도 바다를 가르는 10층 집채더미
항해의 들머리는
푸에르토 리코의 산 후앙 항구

히스페닉어로 반외세 외치며
영어로 미소 보내는 나라
제국주의 세력의 지렛대를
시소로 만들어
저울질하며 사는 나라

오랜 전통 자랑스런 문화 뻐기지만
근원은 스페인 식민지 파생품 아닐까
근본이나 찾는 내 성리학 꼰대 머리로는
가늠하기 어려운 항해일지

7층 오르내리는 엘리베이터가 중앙통인
10만 톤급 큰 배 마을
광장 중앙은 모두 벌거벗은 풀장과 스파
좌삼삼 우삼삼 율동으로 마당도 벅적이고
오대양 육대주의 푸드코트에
막걸리는 상기 아니 올랐는가

신분증도 페이 카드도 모두 독립 강역이니
아서라 내 머릿속의 척화비나 뽑아 던져야지
저 에메랄드 빛 윤슬의 바다로

김유조

바베이도스

십만 톤 급 셀리브리티 호의
첫 항적은 서인도 제도의 맨 끝 섬
바베이도스 기항

밤새 내려갔다가 거슬러 올라오는 코스
선상에는 낮밤 없는 엔터테인먼트

264만 평방킬로미터의 카리브 해역은
크루즈배가 닿도록 파놓은 곳으로만
거함을 부르는데
태만했었다면 모를까
환경으로 반대했던 곳이 외면 당함은 안쓰럽다.

미스 유니버스 대회에서나 들어본 지명
바베이도스
사탕수수 짜서 만든 럼주와
해적복장의 모델들만 자산이고 재산인 동네

단체상륙 관광 제치고 혼자 나와 거닐어 본 항구
종합버스 정류장에는 하릴없는 흑인들
내 어릴 적 한여름 날의 시골마을 데자뷰

부서지고 내려앉은 지붕들 양쪽으론
음주운전 금지
후천성 면역 결핍증, 에이즈 조심
금지와 조심의 포스타가
한여름에도 한기를 느끼게 하여
로프나 골목길 물건 만지는 것도
조심하라던 선상 당부 귓전에 맴 돈다

미국에서 성공한 가수 리하이의 고향
175만 달러를 이곳 병원에 쾌척한 포스타가
수도 브리지타운 해풍에
울컥 슬피 휘 날린다

돌아온 승선장 입구에서 걸친
싸구려 럼주 펀치 한잔 독하니
드럼통 잘라 만든 타악기의 환영 리듬에
비틀 몸을 실어본다

세인트 루시아

프랑스령에서 미국령이 되며
크레올어[1]와 영어가 혼재된 나라
20만 인구가 콧소리로 변형 프랑스 말을 쓰는 장관
바나나에 목숨 건 소박한 꿈의 나라

성모무염시태 성당 옆에서 데렉 월콧 광장을 본다
흑인의 애환과 다문화를 담은 월콧의 문학 혼은
다소곳이 바나나로 열리더니
노벨 문학상을 구현하였고

떠나는 뱃전으로 쌍둥이 피톤 봉우리가
순수의 젖가슴 풀어헤쳐
"오 르바, 다시 만날 때까지"를 크레올어로 외친다

1] 프랑스어를 바탕으로 단순화 된 이곳의 공용어

김유조

안티구아 바부다

밤새 달린 집채더미가 입항한 새벽
가부좌 튼 여인과 선상 조우한다
물안개 사이의 햇살에 보살 같은 정좌의 노랑머리
인도 여행에서 수행을 배웠다는 반가사유상
입 꼬리 살짝 올린 여운이 파도 되어 파문 지는데

거함에서 쪽배타고 나가다가
성공회와 가톨릭 성당 공소를 지나친다
텅 빈 성소란 이 섬의 현주소인가

터너비치에는 백인 어른들과 흑인 어린이들 벌거벗었고
옷 입은 건 흑인 방물장수들뿐
머리에 이고 가슴에 안은 반세기전 내 기억의 환영幻影

수도 세인 존 거리엔 일렁이는 인디[1]* 악사들
데카나 EMI 음원회사로 팔려가려는 절박 몸부림에
나도 문득 몰빵되니
귀항 시간 저녁 다섯 시도 팽개치고
칼립소[2] 그 멜로디에 시간 줄을 놓았다

1] 개별적으로 활동하는 거리의 악사들
2] 서인도 제도에서 유행하는 해학과 풍자노래

김유조

세인트 마틴 섬의 이분법

김유조

화란령과 프랑스령으로 나뉜 작은 섬
세상 유일의 국경선 없는 국경 넘나들다보니
국경 아닌 국경선 지키느라 총 움켜쥐었던
청춘의 기억이 뻘줌하다
그나마 자유를 지킨 대의도 흐려지는 내 나라

화란령 프린세스 줄리아나 공항은
비치에 아슬아슬 맞닿아
이착륙 폭풍 순간을 관광으로 팔아먹고

프랑스령 쪽은 과한 복지정책 탓
사람도 돈도 다 빠져나간 텅 빈 땅
이상과 현실의 괴리경제학은
두 동강 작은 섬에서도 어김없는가

김유조

날머리, 버진 아일랜드와 이구아나

세인트 토마스 항에서
이구아나를 본다
2미터가 넘는 변색 동물
카멜레온의 사촌

럼주의 원조 땅이자 해적선의 피항지
이곳 아프리카의 후손들은
화란에서 영국으로 다시 미국으로
강토의 주인이 바뀌는 데는 아랑곳없고
찾아오는 사람들이라면 껴안고 부빌 뿐
이구아나의 변색 생존을 흉내 낼 뿐

여유와 관용의 모호한 변용 지켜보면
시간의 흐린 경계도
해적선의 전설 속에서 멎는다

이제 회항 길에 오른 내 크루즈의 항적
일상으로의 회귀 속에서 이구아나여 안녕
저 변색의 존재양식으로 여행자도 회귀한다

여행은 연정(戀情)인가

글·그림 **전 규 태**

사랑의 추억은
다시 돌아오지 못할 그리움
여행은 매몰된 추억을 되 파헤치는 준엄함
스스로를 둘러싼
숱한 선의와 악의
여행의 의외성 날를 유혹한다
언젠가는 다시 삶의 여항으로
되돌아오게 마련이지만
등 저 너머 추억을 찾아
사람들은 또 나선다

여행은 戀情인가

Kyotie jeon

전규태

뉴욕 그 노을

'당신은 어떤 별에서 태어났죠?
아마 내겐 안 보이는 별, 당신 눈에만
영롱히 비치는 별일테죠'

저녁나절 초여름의 센추럴 파크 언저리
대기가 맑다 못해 창취하고 드높은 건물 사이
벌써 해는 지고 그 해가 또 뜰텐데
소녀여 훨훨 타고 있단다 검붉게
당신의 마음은 무슨 빛일까?
마천루 상공의 노을빛일까?

전규태

시드니 하버에서

하버 브릿지 그리고 오페라 하우스
바로 이웃한 눈부신 담장을 따라
돛단배가 비바람을 비켜간다
일렁이는 파도가 여로를 재촉한다
담장 너머 한껏 뻗친 검나무 숲을
깡마른 파도가 강물을 향해 쏜살같이 달려간다.

라인 와인

붉은 와인 속에 가득한 당신의 슬픔
하얀 와인 속에 떠오르는 당신 외로움
라인강변 한 모서리 쓸쓸이 서성인다
뭘 마실까, 내 사랑

내 슬픔도 외로움도 그대 잔속에 부어
뜨거운 입술에 적셔보나니!

내 것은 없다

글 **장 재 덕**

이 좋은 세상에
내 것은 없다

허황의 그릇에 가득한
인위적 욕심들

싹트는 설익은 자존심
그마저 닦아내 버려
청정한 무위無爲의 진리를 찾는다

무위도 무의식 하면
편안함이 가득하다.

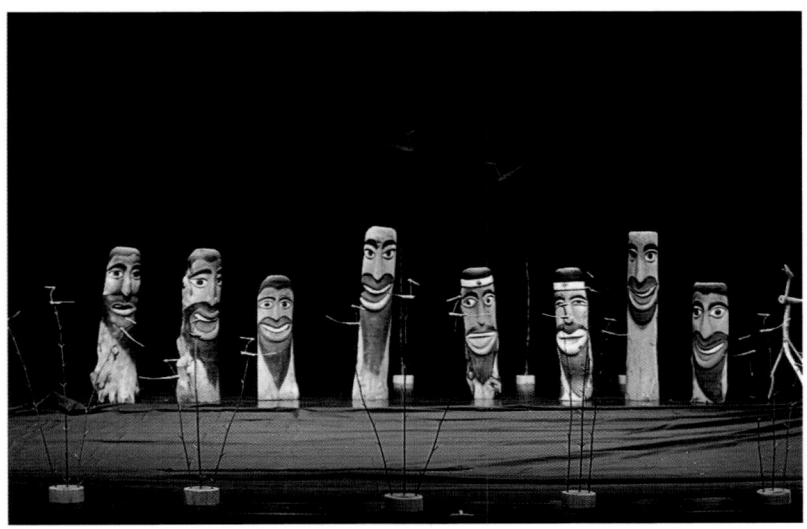

장재덕

천 국

파랗게 멍든 생의 도피처였다
여정의 길이 좁고 짧아서
넓디 높은 하늘로 올랐다

어디 한 곳 설 자리가 없어
오기나 배짱도 없이
부모형제의 인연도

부부, 부자, 연인의 사랑도
다 놓아 버리고

땅이 울어 하늘이 붉게 적시도록
후회도 미련도 없이
맘 편히 휘젓고 간다.

구룡도

구룡도
절제한 혈기로 반기는
미련스레 따스한 손

어릿광대의 농익은 농담을
파도에 묻어 준
노회한 청춘의 섬

시간을 세는 술잔에
여름밤이 별 따라가면

밤새워 다린 노을을
아침바다 파랗게 푼다.

봄의 미학

장재덕

어디 봄이 철마다 피고 나는
꽃과 나비뿐인가

관조하여 지난 인생을
바라봄이 봄이요

이상理想과 철학을
만져봄도 봄이려니

세상 만물의 소생과
인간 만사의 꿈이
신이 내린 희망의 봄이다.

일상(日常)은 환희다

글 조 희 완

눈을 뜨면
그제나 어제나 다를 바 없는
일상 속으로 들어간다

늘상 시계같이 돌아가는 일상이지만
일상은 언제나 벅차고 신비롭다

그 속에
새 날이 있고
새 일이 있고
새 생명 있고
새 힘이 있다

그 속에
사랑도 있고
미움도 있고
기쁨도 있고
슬픔도 있다

그 속에
성취도 있고
실패도 있고

평화도 있고
싸움도 있다

그 속에
모든 것이
새~새~새 것으로
가득 가득 채워진다

그래서
오늘은 어제의 일상이 아니고
내일은 오늘의 일상이 아니다

조희완

살아 있다는 것은

살아 있다는 것은 우주를 품고 있다는 것이다
그래서 우리가 보고 듣고 느끼는 우주의 모든
현상이 우리 안에도 함께 하고 있다

따라서 우리네 삶의 길에도
눈이 부시게 푸르른 날이 있는가 하면
캄캄한 동굴처럼 어두운 날도 있고

고요하고 따스한 날이 있는가 하면
세찬 비바람이 휘몰아치는 날도 있고

만물이 솟아나는 봄날이 있는가 하면
아름다운 결실을 거두는 가을철도 있고

잎이 무성한 여름날이 있는가 하면
앙상하게 가지만 남은 겨울철도 있다

이처럼 우리가 살아 숨쉬고 있다는 것은
우주와 더불어 생동하고 있다는 것이다

이것은 실로 어마어마한 일이고 놀라운 기적으로
세상의 무엇과도 바꿀 수 없는 복 중의 복이다

가난한 소리

글 이 원 경

거리는 북새통이다
마실마실 골짝골짝 모여든 생가들로
거리는 난리 북새통이다
곤마단패 트럼펫 소리, 약장수 북소리
장사꾼 외침 소리, 각다귀들 악쓰는 소리
개상 놈 망할 놈 멱살 잡는 소리
새벽 닭소리에 이 십리길
큰놈 걸리고 작은놈 등에 업고 달려온 아낙
자전거포 귀퉁이에 농짝 같은 보퉁이를 내린다
장꾼들은 대낮부터 장기판 술추렴이 한창이고
장터 가생이는 구변 좋은 장돌뱅이의 바깥소식에
억새같이 빛바랜 사람들이 서서 귀를 모은다
세월을 밑천 삼아 사는 사람들
장터 주막 굿거리장단 장고소리에
비틀비틀 깨춤 추는 주름진 얼굴
국밥집 과수댁 솥 뚜껑을 젖히면 쏟아지는 김에
누더기 얼굴은 정신조차 아찔하다
덥수룩한 바람이 오후를 흔들면 시래기 타래 펼쳐놓고
가로누운 합죽한 볼 위로 늙은이
살비듬 같은 마른 햇살이 내린다
세상의 가난한 소리들 그래도 모두 즐겁다

이
원
경

축 제

긴 장례행렬은
속울음으로 어깨를 들썩이고
누런 삼배그늘 사이로 햇살이
무늬를 만들며 치렁댄다
달빛에 치성을 드리며
비린 은행 알을 매달던 봄부터
푸른 멍을 지우며 퇴경해지는 가을까지
상처 깊은 아픈 生을 퍼 올리며
세월을 덜어내던 은행나무들
문상객인 듯 새들도 상여행렬을 따라
하늘 높이 날아오르고
은행나무는 바람의 곡소리를 타고
가을하늘 속으로 걸어들어 간다
유난히 환한 이파리가 실은,
치열한 삶의 흔적이리라
이렇듯 누렇게 바래진 삶이
세상을 밝히는 것은 아름다운 일이다

풍 경

-70년 봄

판자동네 잡다한 골목길에 팔도사투리
엿장수 가위질 소리 밑으로
누런 풀 고름 코 밑에 단 아이들이
개골창 올챙이마냥 오골 거리다
까칠한 햇살아래 마른버짐 같은
허기가 번지면 아카시아 언덕은
단내를 수북이 담아내고
아이들은 입이 미어지게 바람을 마신다

전파사 라디오에서 흘러나오는 노오란 목소리
살구꽃 같고 앵두꽃 같고
어제를 묻어두고 푸성귀를 찾는 늙은이
주름진 얼굴엔 온기가 돈다
삐뚜름한 양철지붕 끝에 석양이 목을 매면
흙고물 날리던 골목은 싸르르 쌀 씻는 소리로 깊어진다

파라다이스로
전라도 색시 분 내음 풍기며 늦은 출근을 하고
쉰 줄의 덥석부리 지게꾼은
새끼줄에 하루를 꿴 연탄을 들고 이른 귀가를 한다
어둠이 무늬를 찍어내면 집들은 달을

불러다 천정에 달아 놓고
풍로 불 위 토장국은 고단한 하루와 함께 익어간다.

낙안읍성 민속마을

이
원
경

제향날
- 기다림 -

아들 제삿날 팔십 노모 벽을 껴안고
아랫목에 누었다
때 낀 은비녀조차도 힘겨운
제상위의 대추처럼 쪼그라든 얼굴에
콩콩한 메주 내를 달고 저승꽃이 피었다

떠살 같이 환한 백발사이로
엿판을 멘 작달만한 장돌뱅이가 보인다
창 꽃 수(繡)놓인 공단이불
꼬부장한 어깨위로 끌어다 놓고
잔 채우고 향 피우고
파 꽃같은 육십 줄의 며느리 윗목에 앉았다

열린 방문 새로 바람 한 자락 뛰어들면 화들짝
뒤 발꿈치 감추며 나와 마루 끝에 앉았는데
오동 향은 축축이 젖은 목소리 되어 애타게 새어나온다
봉사 길 더듬듯 서러움은 찾아드는데
병풍처럼 서 있는 어둠을 배경으로
고슬고슬 눈은 곱게도 내린다.

운 명

글 유 성 봉

이끼가 돌의 겉옷이라면
녹은 쇠붙이의 썩은 갑옷이다

이끼가 바윗돌을 감싸는 솜털 보숭이라면
녹은 쇠를 파고 갉아 먹는 산화철 딱지다.

이끼는 바위를 안고 여문 사랑 굳힌다면
녹은 쇠를 보듬고 품을수록 상처 도지는 아픔만 더한다.

이끼는 빗물에 목욕하고 검푸른 새 옷으로 한껏 뽐내는데
녹은 덕지덕지 부스럼 시루 떡 높게 굳어만 간다.

이끼는 돗자리 깔고 햇님 불러 잔치 한 마당 벌리는데
녹은 매 맞고 쫓겨나 화끈한 물고문 불러 늦게 사 철들(되)게 한
다.

"누드" 작품 앞에서

의상비가 너무 비싸
입히지 못 하셨다구요
감기라도 걸린다면 어쩌려고
오리털이라도 입혀주시지

벗게 하느라
더 많은 시간과 비용이 들었네요.
뜨거우니
가까이 다가서지 마세요.

타는 열정
가만히 안으려면
한 벌 더 벗으면 좋겠네요.
마음 속 깊은 곳도 볼 수 있게

눈 감으세요
정신이 보일 것이고
영혼이 보일 것이고
신비가 보일 것입니다.

펼쳐지는 꿈의 세계
감출 것도 숨길 것도 없는 진실이

무지개 옷 마음에 입혀
먼 길 밝히는 빛이 될 것입니다.

부안 금구원 조각공원

유성봉

술 잔

꼭 채워야 되는 것은 아니다
채우고 비우고 넘치고
부딪치고 상처가 나고 깨어져도
뛰어야 한다
그것이 삶이다

삶의 현장은 역동적이다
눈은 꾸겨지고 펼쳐진 현장을
코는 질펀하게 깔린 냄새를
입은 달콤하고 감미로운 맛을 즐기지만
귀가 섭섭해서 짠! 하고 부딪친단다.

포구의 몽돌처럼 잔의 종류도 다양하다
맥주잔 소주잔 백알잔 양주잔 막걸리잔 등
모양도 크기도 제 각각이다
그러나
잔마다의 "알콜" 함량은 거의 비슷하다고 한다.
약한 술은 잔이 크고 독한 술은 잔이 작다
절묘한 조화요 평등의 예술이다
건강을 배려한 지혜요 과학이다

꿈이 넘치는 열정의 잔도

희망이 채워지는 충만의 잔도
부딪치고 깨어지는 고달픈 잔도
비우고 채우고 뛰고 또 뛴다
그것이 인생이다

고향 가는 길

글 **황 정 연**
(西村 黃正淵)

꼭 명절이 아니라도
고향 가는 날이면
마음이 먼저 뛰어간다

사랑채가 널브러져
대들보만 남았어도

어쩌다 노모의 미소가
사무치는 날에는

마음이 벌써 눈감고
날아가는 길이다.

그림 박방영, 내 고향

사색의 강

한국 아카데미하우스에서
서재 가득한 담소를 담는다

내면이 담긴 사진 속에는
모나리자가 우러나고
레오나르도 다빈치도 모르는
미소의 의미를 음미한다

짧고 질박한 기억 하나로
머나먼 끈을 당겨
인연의 길 찾아가노라면

붉게 타는 노을 너머로
사색의 강이 흐른다.

두물머리 풍경

눈 내리는 새벽

뭉텅뭉텅 터져 나오는
반딧불이 구애
정염, 그 애절한 눈빛을
조명 불에 얼버무렸다

불가능에 타다남은
존심 한 덩어리

앳된 새벽에 숨겨 놀
함박눈이 내린다.

겨울 끝자락

카카오톡에 뜬 그대 눈동자는
별빛 머금은 검은 호수다

망막에 낀 살얼음을 걷어내고
환상의 배를 젓는다

산 중턱 나뭇가지마다
자주색 수기가 오르고
심연의 꿈이 우러나오니
봄이 오는가 보다

아서라 아직은 이르다
설중매의 긴 하품에
새봄이 무색하다.

최
창
재

노 을

글 **최 창 재**

계절이 걸어간 길목
하루가 지나간 산야에
온화한 이정표 하나
부챗살 마냥 펴져있다

바람이 오가던 숲속
햇살이 머물던 계곡에
어스름 딛고선 달빛
내 마음처럼 동그랗다

제 몸 다 식고 나면
저 빛 다 지고 나면
세속의 때 벗을런가
노을 속에서 반추되는 낮은 날의 나를 본다

겨울 계곡

떠나간 이들의
공허한 발자국
구성진 노랫가락이
차디찬 바위틈에서
시린 자맥질만 하고 있다

먼 산 낙엽 가까이 오고
어진 바람 불고 불어
그리움 통통 부어오르면
내리 내리 길은 막혀도
헛기침하는 이 하나 없다

달빛 멀리 휘영청
시든 풀잎 두둥실
한량한 구름 노닐고
밤새도록 하얀 눈만
막다른 길, 망각 속에 갇혀있다

도라지 청

첫 한파가
산사를 휘감던 날
칼바람 헤치고 온
따스한 온정의 손길

뜨거운 불앞에서
기나긴 인내로 얻은
6년근 도라지 청을
시린 가슴에 안겨준다

황량하고 열악한
산사생활이 감기에
온전히 노출되어 있음을
이미 짐작하고 있었다지만

마음 있다고
행하기 어려운 일임을
너무도 잘 알고 있기에
감사한 마음, 두 손 모아 전해본다

최
창
재

손톱깎기

반평생을 앞만 보며 달리다
귀한 인연 닿아 찾아든 산사
익숙지 못한 몸도 몸이지만
숭숭, 구멍 난 마음이
때때로 몸살을 앓곤 한다
숨겨진 모습 어찌 살피셨던지
신경 쓰기 어려운 부분을
살뜰히 챙겨주시는 고마운 도반들
울력을 수행 삼아 온 하루 하루
손과 발이 상하기 마련인데
거칠어진 수족을 다듬다보면
홀로인 듯 함께 가는 길이 감사하다
책상머리 더듬던 손에
톱, 낫, 곡괭이, 삽이 친하다보니
먼저 헤지는 곳이 손인지라
온정이 묻어나는 용품을 쓸 적마다
엄동의 찬바람도 훈풍이 된다

천수만淺水灣

글 심 명 숙

구천九天을 돌다보면
서쪽 끝, 땅과 맞닿는 곳에
천고千古의 맥脈이 고인 태안반도
양반님 두루마기자락 할랑이듯
잔잔한 햇살에 빛나는
천수만이 있지요

길을 가다 잠시, 가만히 서서
밀물이 쉬어가는 연안에
비스듬히 누운 태양을 바라보아요!
무디던 심안心眼을 유연하게 부풀리고
저 멀리 승천한 계룡의 잔영처럼
황금빛 반짝이는 고깃배를 보아요

낮은 산들이 들러 앉은 서녘 품
물고기 수면을 차는 은빛 바다
철새들의 화려한 겨울궁전에
달빛 고요하면
낮게 이르던 물안개
나울나울 피어오르는 천수만을 보아요.

심명숙

시인의 고을에서

세상 영욕에 밀리듯
기세가 수려한 절경 속으로 빠져든다

삿갓으로 저 푸른 하늘 덮고
세상사 풍자가 유유히 청산으로 향하는
나그네 노래는 구름 되어서
슬프게 흐르는 계류溪流에
발 담그고 앉으니
한 점의 청신한 점액이 퍼진다

이토록 시인의 푸른 일세一世가
어찌 풍미豊美하지 않을 수 있을까!

언제 떠나갔나?
취하여 벗어놓은 삿갓은
바위로 피고
죽장은 싹이 터 백두대간을 이루었는데
나그네 학이 되어 세상을 날고 있다.

세 월

정선의 오십구 번 국도는 막혀도
아리랑 굽이돌아 건너서
타들어가는 꿈들이
흰 구름사이로 숨어든다

묵향으로 깊이 배어
속으로 스며든 세월
혼자라는
현실이 애달프기만 하고

빈 초가만 지키는 고목古木
좋은 때를 만나 피었는데
세월여류에 흔들리니
고을 역사가 늦가을이구나.

사진 조병준

영화 속
Love story 의 배경으로 가다

사진 우 정 자

런던 포토벨로(Potobello) 마켓
웃는 얼굴로 장사를 하는 사람 때문에 나도 행복해 진다.

영화 '노팅힐'(Notting Hill)의 배경이었던 서점
영화는 돌아 와서 관람했다, 러브스토리의 여운이 오래 남는다.

포토벨로 마켓
젊은 관광객들에게 특히 인기가 많은 자동차 번호판 가게

셜록홈즈(Sherlock Holmes)의 집
'아서 코난 도일' 의 추리소설에
등장하는 주인공, 2층에는 실제인
물로 착각될 만큼 정교한 '셜록홈
즈' 의 방이 있다.

'에로스' (Eros)의 화살은 이미 날
아갔다. 화살은 과연 어느 가슴에
명중됐을지……

'호스가든' 의 기마병
늠름하고 씩씩하고 충성스러
운 여왕의 사람.

'런던아이' (London eye), 런던을 대표하는 랜드마크 중 하나이다. 회전하며 런던
시내를 관람할 수 있어 '눈' 이라는 단어가 붙은 것 같다

'트라팔가(Trafalgr)광장'의 탑

트라팔가광장의 소녀들의 표정이 너무도 맑다.
이곳까지 나온 그녀들의 하루가 궁금해진다.

골웨이(Galway) 시내는 매일이 축제다.
특히 화려하고 다양한 버스킹이 선물처럼 다가오는 곳이다.

아일랜드의 양모가게
차를 타고 달리는 동안 양떼들이 노니는 초원이 계속됐다.
양은 이렇게 인간에게 주기위해 살았나보다.

런던 '왕립식물원'
꽃과 나무를 만나러 갔다가 동화 속 주인공이 되었다.
유쾌한 거인은 친절하기도 했다.

작가노트

　런던 여행의 시작은 포토벨로시장에서부터 시작됐다. 혼잡하지
만 생기가 넘치는 곳이었다. 영화 '노팅힐'의 배경인 서점도 찾
았다. 사람들은 가끔 영화 속에서 자신을 반추할 때가 있다. 아
마도 나의 사랑도 그렇게 갈등을 극복해 갔을 것이다. 그러나 계
속되는 여행의 새로운 시선은 영화의 Love story 쯤 곧 잊게 했
다. 그러면서 사진에 많이 매진했던 것 같다. 하지만 눈으로 들
어오는 풍경과 카메라 렌즈로 담기는 갭이 있기 마련이다. 그럴
때, 한계를 느끼며 안타깝기만 했다. 사진을 보니 그런 아쉬움이
보이지 않게 담겨있다.

부 록

빚의 대물림방지에 관하여

글 변호사 구도일 법률사무소
대표 변호사 구 도 일

1. 서 론

가. 상속에 의하여 피상속인(망인)의 재산이 법률상 당연히 상속인에게 포괄적으로 승계되지만 상속재산에는 적극재산뿐만 아니라 소극재산, 즉 채무도 포함되므로, 자기의 의사와 무관하게 소극재산이 승계됨은 민법의 기본원칙인 자기책임에 반할 수 있기 때문에 상속인을 보호하기 위하여 상속을 거절할 수 있는 자유가 인정되어야 한다. 그래서 민법은 피상속인의 사망과 동시에 그의 권리·의무를 당연히 상속인인에게 귀속시키면서, 다른 한편 상속인에게 이를 거부할 수 있는 자유를 주는데, 이것이 상속의 승인과 포기의 자유이다.

나. 상속의 승인이란 상속개시에 의하여 피상속인에 속하였던 재산상의 모든 권리·의무가 상속인에게 귀속되는 효과(민법 제1005조)를 거부하지 않을 것을 상속인 스스로 선언하는 것을 말하는바, 권리·의무의 승계를 전면적으로 승인하는 단순승인과 승인을

하지만 피상속인의 채무와 유증에 의한 채무는 상속재산의 한도
에서 변제하고 상속인의 고유재산으로 책임을 지지 않는다는 한
정승인이 있다.

다. 상속포기란 상속개시에 의하여 발생하는 권리·의무의 승계를 상
속 개시시에 소급하여 소멸시키는 상속인의 의사표시를 말한다.

라. 따라서 예컨대 사망한 어머니가 2억원 상당의 토지를 가지고 있
거나, 혹은 재산이 전혀 없는데, 채무가 5억원 정도가 되면 상속
인은 상속의 한정승인이나 포기를 하여 빚의 대물림에서 벗어날
수가 있는 것이다.

2. 한정승인, 포기의 기간

가. (1) 상속인은 상속재산에 대하여 충분히 조사하고 생각한 후에
상속의 승인이나 포기를 결정할 필요가 있으므로 원칙적으로 상
속인이 상속개시 있음을 안 날부터 3월 내에 상속의 승인이나 포
기를 할 수 있고(민법 제1019조 제1항 본문), 이 기간 중 상속인
은 상속재산을 조사할 수 있다.

　상속인이 이 기간 내에 한정승인이나 포기를 하지 않으면 단
순승인을 한 것으로 의제된다(민법 제1026조 제2호).

(2) 여기서 "상속개시 있음을 안 날"이란 상속개시의 원인이 되
는 사실의 발생을 알고 이로써 자기가 상속인이 되었음을 안
날, 즉 상속개시의 사실과 자기가 상속인이라는 사실을 안 날

을 의미하고, 상속인이 수인이라면 각 상속인마다 따로 기산하여야 한다.

(3) 상속재산의 상황이 복잡하여 조사 등을 위하여 필요한 경우에, 이해관계인 또는 검사의 청구에 의하여 가정법원은 위 3월의 기간을 연장할 수 있다(민법 제1019조 제1항 단서). 그리고 이 기간 중에 당사자에게 책임 없는 사유로 기간연장의 청구를 할 수 없는 경우에, 그 사유가 없어진 후 2주일 내에 연장청구를 할 수 있다(가사소송법 제12조, 민사소송법 제173조).

나. 그런데 처음에는 상속채무가 상속재산을 초과하는 사실을 상속인이 중대한 과실 없이 상속개시일부터 3월의 기간 내에 알지 못하고 단순승인한(또는 단순승인으로 의제되는)경우에 그 사실을 안 날부터 3월내에 상속재산의 목록을 첨부하여 가정법원에 한정승인의 신고를 하여야 한다(민법 제1030조 제1항). 이를 특별한정승인이라 한다. 이때 중대한 과실이란 상속인의 나이, 직업, 피상속인과의 관계, 친밀도, 동거 여부, 상속개시 후 생활 양상, 생활의 근거지 등 개별 상속인의 개인적 사정에 비추어 상속재산에 대한 관리의무를 현저히 결여한 것을 말한다(서울가법 2006. 3. 30. 자 2005브85 결정). 이 경우에, 상속재산 중 이미 처분한 재산이 있으면 그 목록과 가액을 함께 제출하여야 한다(민법 제1030조 제2항). 그리고 상속인이 재산목록을 작성하면서 재산일부를 고의로 기입하지 않은 경우에는 한정승인은 효력이 없고 다음에서 보는 바와 같이 단순승인 한 것으로 본다(민법 제1026조

제3호).

3. 관할법원

상속의 한정승인·포기는 피상속인의 마지막 주소지(사망 당시 주민등록지)를 관할하는 가정법원(또는 지방법원 등)에 하여야 한다. 예컨대 서울특별시인 경우 서울가정법원이다.

4. 한정승인, 포기의 효과

가. (1) 한정승인을 한 상속인은 상속에 의하여 얻은 재산의 한도에서 피상속인의 채무와 유증을 변제하면 된다. 즉 채무와 책임이 분리되어 상속인은 상속재산의 한도에서만 책임을 진다.

특히 주의할 것은, 채무 자체가 감축되는 것이 아니라 책임이 제한될 뿐이라는 점이다. 따라서 상속인이 고유재산으로 상속재산 이상의 변제를 하여도 그것이 비채변제로 되지 않고, 대법원 판례에 의하면 "상속의 한정승인은 채무의 존재를 한정하는 것이 아니라 단순히 그 책임의 범위를 한정하는 것에 불과하기 때문에, 상속의 한정승인이 인정되는 경우에도 상속채무가 존재하는 것으로 인정되는 이상, 법원으로서는 상속재산이 없거나 그 상속재산이 상속채무의 변재에 부족하다고 하더라도 상속채무 전부에 대한 이행판결을 선고하여야 하고, 다만 그 채무가 상속인의 고유재산에 대해서는 강제집행을 할 수 없는 성질을 가지고 있으므로, 집행력을 제한하기 위하여 이행판결의 주문에 상속재산의 한도에서만 집행할 수 있다는 취지를 명시하여야 한다"고 하였다.

(2) 상속인이 한정승인을 한 경우에 피상속인에 대하여 가졌던 상속인의 재산상의 권리·의무는 소멸하지 않는다(민법 제1031조, 단순승인의 경우에는 혼동으로 소멸한다). 즉 상속인은 상속재산에 대하여 제3자와 같은 지위에 서며, 그의 피상속인에 대한 채권은 상속채권자, 수유자와 함께 상속재산으로부터 변제배당을 받게 되며, 피상속인에 대한 채무는 상속재산으로 상속채권자 등의 강제집행에 복종하게 된다.

(3) 한정승인을 한 상속인은 고유재산에 대한 것과 동일한 주의로 상속재산을 관리하여야 한다(민법 제1022조). 한정승인을 한 상속인이 수인이라면 가정법원은 공동상속인 중에서 재산관리인을 선임할 수 있는데, 법원이 선임한 관리인은 공동상속인을 대표하여 상속재산의 관리와 채무의 변제에 관한 모든 행위를 할 수 있다(민법 제1040조).

(4) 한정승인의 장점은 피상속인에게 혹시 예상 밖의 빚이 있을까 걱정이 되는 경우, 후순위 상속인에게 빚이 상속되지 않도록 할 때 이용되는 것이고, 단점은 앞서 본 상속재산목록의 작성, 다음에서 보는 청산절차의 이행 등 절차가 번잡한 것이다.

나. (1) 상속을 포기한 자는 상속개시시부터 상속인이 아니었던 것으로 된다(민법 제1042조).

대법원 판례는 상속인들이 적법하게 상속포기를 한 경우에, 피상속인이 납부하여야 할 양도소득세를 승계하여 납부할 의무가 없다고 하였다.

(2) ㈎ 피상속인의 직계비속인 단독상속인 또는 공동상속인 전원이 포기한 경우에 그 직계비속이 상속인으로 된다(대법원 판례). 예컨대 채무자인 피상속인이 그의 처와 동시에 사망하고 제1순위 상속인인자(子) 전원이 상속을 포기한 경우에, 상속을 포기한 자는 상속개시시부터 상속인이 아니었던 것과 같은 지위에 놓이게 되므로 같은 순위의 다른 상속인이 없어 그 다음 근친 직계비속인 피상속인의 손(孫)들이 차순위의 상속인으로서 피상속인의 채무를 상속하게 된다. 그런데 그 직계비속도 상속을 포기할 수 있다(대법원 판례).

한편 직계비속이 없으면 법정상속순위에 따라 상속인이 결정된다. 즉 법정상속순위는 1순위가 직계비속 및 배우자, 2순위가 직계존속 및 배우자, 3순위가 형제자매, 4순위가 4촌이내의 방계혈족(민법 제1000조 제1호)인데 위 상속인 모두가 상속포기를 하여야 한다.

㈏ 상속인이 수인인 경우에, 그 중 일부가 상속을 포기하면 그 상속분은 상속분의 비율로 나머지 상속인에게 귀속된다(민법 제1043조).

(3) 상속을 포기한 자는 그 포기로 인하여 상속인이 된 자가 상속재산을 관리할 수 있을 때까지 그 재산의 관리를 계속하여야 하는데, 상속재산의 관리에 관한 민법 제1022조와 상속재산의 보전에 필요한 처분에 관한 민법 제1023조가 준용된다(민법 제1044조).

(4) 상속포기는 특정인을 위하여 포기한다는 상대적 포기나 조
건부 포기 및 일부의 포기는 허용되지 않는다.

(5) 상속포기의 장점은 피상속인의 재산, 채무 등에 대해 일체 신
경 쓸 필요가 없어서 상속인 입장에서는 가장 간단한 방법이
고, 단점은 상속포기를 하기 위해선 앞서 본바와 같이 각 상속
순위에 해당하는 모든 상속인이 상속포기를 해야 하는 것이다
(선순위 상속인 모두가 상속포기를 하면 다음 순위 상속인에
게 상속권리와 의무가 넘어가기 때문임).

5. 한정승인에 의한 청산절차

한정승인의 경우에는 포기와 달리 다음과 같은 청산절차를 거
쳐야 한다.

가. 채권자에 대한 공고와 최고

한정승인을 한 자는 한정승인을 한 날부터 5일 내에 일반상속
채권자와 유증받은 자에 대하여 한정승인을 하였다는 사실과 2
월이 넘는 기간을 정하여 그 기간 내에 채권 또는 수증을 신고할
것을 공고하여야 한다(민법 제1032조 제1항). 공고방법과 최고에
대해서는 법인의 청산에 관한 제88조 제2항, 제3항, 제89조가 준
용된다(민법 제1032조 제2항).

나. 변제의 순서와 방법

(1) 한정승인을 한 자는 채권신고기간이 만료되기 전에 일반상속
채권자와 유증 받은 자에 대하여 상속채권의 변제를 거절할 수

있다(민법 제1033조). 이를 어기고 변제를 한 경우에 민법 제1038조에 따른 책임을 져야 한다.

(2) 한정승인자는 채권신고기간이 만료된 후 그 기간 내에 신고한 채권자와 신고하지 않았더라도 자기가 알고 있는 채권자에 대하여 각 채권액의 비율에 응하여 상속재산으로 배당변제를 하여야 하지만, 우선권 있는 채권자의 권리를 해하지 못한다(민법 제1034조 제1항). 그런데 특별한정승인을 한 경우에, 그 상속인은 상속재산 중 남아있는 재산과 함께 이미 처분한 재산의 가액을 합하여 배당변제를 하여야 하지만, 한정승인을 하기 전에 상속채권자나 유증받은 자에 대하여 변제한 가액은 이미 처분한 재산의 가액에서 제외한다(민법 제1034조 제2항). 기한 미도래의 채권, 조건부 또는 기한부의 채권과 존속기간이 불확정한 채권도 법원이 선임한 감정인의 평가에 의하여 변제하여야 한다(민법 제1035조). 그리고 수유자는 상속채권자에 대한 변제가 완료된 경우에만 변제받을 수 있다(민법 제1036조).

(3) 채권신고기간 내에 신고하지 않은 상속채권자 또는 유증받은 자로서 상속인이 알지 못한 자는 위의 순서와 방법에 의한 변제가 완료되고 상속재산의 잔여가 있는 경우에 한하여 변제받을 수 있다. 그러나 이러한 경우에도 상속재산에 대하여 질권이나 저당권 등의 특별담보권이 있다면, 그 담보가액의 한도에서 우선변제를 받는다(민법 제1039조).

다. 부당변제로 인한 책임

(1) 한정승인을 한 자가 위의 공고나 최고를 게을리 하거나 그 기간이 만료되기 전에 또는 우선순위를 위반하여 변제를 함으로써 다른 상속채권자나 유증받은 자에 대하여 변제할 수 없게 된 경우에, 이로 인하여 생긴 손해를 배상하여야 한다(민법 제1038조 제1항). 특별한정승인을 한 경우에 그 이전에 상속채무가 상속재산을 초과함을 알지 못한 데 과실이 있는 상속인이 상속채권자나 유증받은 자에게 변제한 때에도 같다(민법 제1038조 제1항 후문).

(2) 한정승인을 한 자의 부당변제로 인하여 변제를 받지 못한 상속채권자나 유증받은 자는 그 사정을 알고 변제받은 상속채권자 또는 유증받은 자에 대하여 구상권을 행사할 수 있다(민법 제1038조 제2항). 특별한정승인을 한 경우에 그 이정에 상속채무가 상속재산을 초과함을 알고 변제받은 상속채권자나 유증받은 자가 있는 때에도 같다(민법 제1038조 제2항 후문).

6. 단순승인으로 의제되는 경우

다음의 사유가 있는 경우에 상속인이 단순승인한 것으로 본다.

가. 상속인이 상속재산에 대한 처분행위를 한 경우(민법 제1026조 제1호)

(1) 여기서 처분행위는 상속재산의 일부에 대한 것이든 전부에

대한 것이든, 사실행위(가령 재산의 현상이나 성질을 변하게 하는 행위)이든 법률행위(재산을 타에 양도하는 행위)이든 문제되지 않지만(다만 실화에 의한 훼멸에서와 같이 과실에 기한 물건의 훼손은 포함하지 않는다), 상속인의 의사에 기한 것이어야 한다. 그런데 상속인은 승인 또는 포기를 할 때까지 상속재산을 관리할 의무를 부담하므로, 여기서의 처분은 관리행위의 범위를 넘는 것을 말한다. 가령 상속인 중 1인이 다른 공동상속인과 협의하여 상속재산을 분할하는 소위도 처분행위에 해당한다. 반면 상속인들이 상속포기신고를 하기에 앞서 점유자를 상대로 피상속인의 소유였던 주권에 관하여 주권반환청구소송을 제기한 것은 상속재산의 처분행위에 해당하지 아니한다(대법원판례).

(2) 자기가 상속인이고 상속이 개시되었으며 처분의 대상이 상속재산에 속하는 사실을 알고 한 행위이어야 한다.

나아가 상속인이 아직 상속에 관하여 한정승인 또는 포기의 신고를 하기 전에 한 것이어야 한다. 반면 상속인이 한정승인 또는 포기를 한 후에 상속재산을 처분한 때에는 그로 인하여 상속채권자나 다른 상속인에 대하여 손해배상책임을 지게 될 경우가 있음은 별론으로 하고, 그것이 다음에서 보는 같은 조 제3호에 정한 상속재산의 부정소비에 해당되는 경우에만 상속인이 단순승인을 한 것으로 보아야 한다(대법원판례).

(3) 공동상속인 중 일부가 처분행위를 한 경우에 단순승인의 의

제는 처분행위를 한 공동상속인에게만 미친다. 상속인의 법정

대리인이 상속인에 갈음하여 상속재산을 처분한 경우에도 단

순승인의 효과가 생긴다.

(4) 상속인이 상속재산을 초과하는 사실을 중대한 과실 없이 알

지 못하고 상속인이 상속재산에 대한 처분행위를 한 경우에,

상속인은 그 사실을 안 날부터 3월 내에 특별한정승인을 할

수 있음은 앞서 본바와 같다.

나. 상속인이 한정승인 또는 포기를 한 후에 상속재산을 은닉하거나

부정소비하거나 고의로 재산목록에 기입하지 아니한 경우(민법

제1026조 제3호)

(1) 이 규정은 한정승인이나 포기를 한 후 부정행위를 하는 경우

에, 상속채권자나 후순위상속인의 이익을 보호하기 위하여 부

정행위를 한 상속인에게 상속채무에 대한 무한책임을 지우려

는 취지에 기한 것이다.

(2) 여기서 은닉은 쉽게 상속재산의 존재를 알지 못하게 하는 것

을 말한다. 그리고 부정소비에 관하여 판례는 "정당한 사유 없

이"상속재산을 소비함으로써 그 재산적 가치를 상실시키는 것

이라고 하는데, 결국 상속채권자의 불이익으로 된다는 것을 알

면서 소비하는 것을 의미한다. 따라서 피상속인의 옷이나 간단

한 소지품 등을 소각하는 것은 부정소비가 아니다.

그리고 고의로 재산목록에 기입하지 아니한 때란 한정승인

을 함에 있어 상속재산을 은닉하여 상속채권자를 사해할 의사

로써 상속재산을 재산목록에 기입하지 않는 것을 의미한다. 그리고 한정승인한 공동상속인 중 일부가 부정행위를 한 경우에, 한정승인청산절차 후에 남은 채무에 대하여 그들의 고유재산으로 책임을 진다.

(3) 상속포기로 인하여 차순위상속인이 상속을 승인한 경우에는 이 규정에 의한 단순승인 의제는 배제된다(민법 제1027조). 즉 어떤 상속인이 상속을 포기한 후에 상속재산의 전부 또는 일부를 은닉하거나 부정소비를 한 경우에도, 차순위상속인이 상속을 승인하였다면 선순위상속인이 단순승인한 것으로 보지 않는다. 이는 차순위상속인의 상속선택권을 보호하기 위한 것이다. 이 경우 차순위상속인은 선순위 상속인에 대하여 은닉한 재산의 반환이나 부정소비에 의한 손해의 배상을 청구할 수 있다.

7. 실무상 문제점

가. 한정승인과 포기를 같이 할 수 있는지

상속인이 여러 명인 경우 일부는 한정승인을 하고 일부는 상속포기를 할 수도 있는데, 이 경우 1장의 신청서에 1건으로 할 수도 있고, 한정승인과 상속포기를 따로 할 수도 있다.

나. 한정승인, 상속포기 어느 것을 하는 것이 좋은지

예컨대 피상속인이 사망하고, 재산은 전혀 없고, 채무만 5억원이 있는데 상속인으로 남편, 아들 3인, 딸 2인이 있는 경우 어떻게 하는 것이 좋을지 문제이다.

한정승인 상속포기의 장단점은 앞서 본 바와 같다.

위 1순위 상속인들이 모두 상속을 포기하면 그 다음 2순위, 3순위, 4순위 상속인들 모두가 상속포기를 하여야만 하니 대단히 번거롭고 너무나 복잡하다.

그리고 한정승인은 상속받은 재산의 범위 내에서만 책임을 지므로 거기서 모든 것이 끝나고 후순위까지 내려갈 일은 없다.

따라서 위 양제도의 장, 단점을 고려해보면 앞서의 경우 아들 3인, 딸 2인은 모두 상속포기를 하고, 남편은 한정승인을 하는 것이 가장 합리적이라 할 것이다.

다만 상속재산목록의 작성, 한정승인의 경우 청산절차를 밟아야 할 번거로움이 있으나 이는 상속포기의 경우 4순위까지 포기의 절차를 밟아야 할 너무나 번거로움에 비하면 훨씬 합리적이라 할 것이다.

집필진 약력

장 덕 환

교수/정치학박사
성균관대학교/경기대학교 정치전문대학원
한국정신문화연구원/한국국제정치학회 부회장
저서: 『한국의 4월 혁명』, 『한국의 독도』
　　　『현대의 정치학』, 『현대외교 정책론』, 『평화주의자 안중
근』 등 다수

현) 세계여행작가협회 회장
전 규 태

시인/여행작가/문학박사
동아일보 신춘문예로 등단
전 연세대학 국문과 교수/하버드대 엘친교수/컬럼비아대학/시드
니대학 객원교수/호주국립대 한국어학7년 강의/여행인 클럽 초
대회장/현 연세 미래교육대학원 초빙교수
수상: 현대시인상/PEN문학상/국민훈장/국가공로상 등
저서: 『단테처럼 여행하기』, 세종기획 추천도서 외 (100여권)
　　　세계여행작가협회 고문

정 건 섭

전 메리츠 화재 대표

김 유 조

소설가/평론가/문학박사
건국대 명예교수(부총장 역임), 소설학회 회장 역임
서초문인협회 명예회장, 국제펜 국제교류위원장,
한국현대시인협회 국제문화위원장, 한국현대작가연대 부이사
장, 세계여행작가회 부회장, 미국한국소설가협회 윤리위원,
저서: 소설집 3권, 시집 1권, 평론집 1권, 번역서 7권, 학술저서
6권, 논문 다수.
격월간 〈여행문화〉 주간

조 희 완

국가청렴위원회 신고심사국장, 관리관(1급)
감사원 전산과장, 제5국 제2과장, 심의관,
감찰관, 제7국장, 제4국장
한양대학교 행정·자치대학원 겸임교수
저서 : 『신 징비록』 도서출판 〈구담〉

전 효 택

수필가, 〈현대수필〉 등단
서울대학교 에너지자원공학과 교수/명예교수
현대수필·한국산문·한국수필 이사
한국문인협회(수필분과) 회원
세계여행작가협회 자문위원·편집위원
산문집: 『아쉬운 순간들 고마운 사람들』, 『평생의 인연』
격월간 〈여행문화〉 부주간
E-mail: chon@snu.ac.kr

남 정 호

저널리스트/독일 뮌헨(Mun chen)거주
언론인/한국일보기자/코리아타임즈기자/
한국일보 베를린 특파원/서울신문, 세계일보 프랑크푸르트 특파
원/시사 IN해외 편집위원 역임
현) 재외동포 언론인협회 고문
    세계여행작가협회 독일 지부장

芝堂 이 흥 규

시인/소설가
'우리문학' 시/전남도민일보 신춘문예 소설 당선
광주광역시 교원연수원/무등시립도서관 문학강의 등
수상: 국제문화교류회 문화교육상 문학부문, 외 5회
시집:『달빛 낚기』『임 바라기』등 4권
    전라도 사투리 서사집『어머니의 편지』
소설:『도시의 불빛』/산문집:『생각나들이』
시창 작론집:『시는 아름다운 마음의 거울』
광주광역시 문협 시분과 회장
한국문인협회/세계여행작가협회 상임이사

장 재 덕

사회봉사자/사업가
민주평화통일자문위원회 자문위원
민족사랑운동본부 총재
오천사운동본부 중앙회 총재
현대정치발전연구원 정책연구위원
저서:『독도는 한국영토』
    『ECO경영을 위한 행복 위트』공저 등
세계여행작가협회 감사

구 도 일

서울민사지방법원 판사 / 서울형사지방법원 판사 / 전주지법 금
산지원장 / 서울고등법원 판사 / 대법원 재판연구원 / 청주지법
충주지원장, 건국대학교 강사 / 사법연수원 교수 / 서울민사지방
법원 부장판사 / 대한변호사협회 법률구조재단 이사 / 대한변호
사협회 징계위원회 위원장 / 대한변호사협회 법조원로회 부회장
세계여행작가협회 고문

유 진 순

시인/약사
이학사/교육행정 석사/약국경영
사회교육위원회 교육위원장
평통자문위원 자문위원 역임
국제Lions Club 354−A지구 부총재 역임
현) 내마음의 편지 고문/ 격월간 〈여행문화〉 고문
세계여행작가협회 고문, 편집위원

유 성 봉

시인, 〈한국불교문학〉시 등단
국가공무원 정년퇴임
모범 공무원상 수상
제2회 통일문학축전 노인백일장 장원
한국 불교 문인협회·고양시 작가협회 회원
세계여행작가협회·격월간 〈여행문화〉 고문

조 복 순

충남예산 출생
이화여대CEO과정수료
밝은가정협의회 이사
민족통일강서지구협의회 회장
라이온스354-A지구 새한우리클럽회장 역임
충청향우회 부회장
세계여행작가협회 자문위원

이원경

포항출생
국문과 졸업, 작가 지망생
현) 국제라이온스 354-A지구 새한우리클럽 회장
세계여행작기협회 회원

최 윤 정

시인/여행작가
'문학과의식' 신인공모 등단
한국문인협회 회원 / 새흐름문학 동인
세계여행작가협회 임원
격월간 〈여행작가〉 편집위원·취재작가

가 람

시인/작곡가/대금연주가
아호: 죽현당/본명 이진숙
수상: 한국시인협회 작품상/매월당 문학상 외
시집: 『혼자된 시간의 자유』, 『시나무와 단배 꽃』, 담배』,
『Poem Tree&Cigar Flower』, 『파도랑의 묵애』
활동-한국문인협회/한국현대시인협회/국제펜클럽 회원
세계여행작가협회 편집위원

오 흥 범

교수/수필가
학점은행제 법학부 겸임교수/운암평생교육원 학생주임교수 겸
외교통상부 소관/한중경제문화친선협회 경인지점장/중국요령
성 본계금정집단중개유한공사 주한수석대표/풍성고속관광 주
식회사 대표이사/사장
현) 문화관광신문(주) 부회장/태화교육복지연구원 대표/
　세계여행작가협회 자문위원

최 창 재

시인
순수문학 시 등단
2014년 월간문학공간 본상수상
한국문인협회지적재산권보호위원
한국문인협회회원/아가페회원
대한불교조계종포교사
세계여행작가협회 회원

심 명 숙 (필명 청휘)

시인, 수필가
한국문학방송·연변인터넷방송 회원
중국 염성사범대학교 한국어학과 강사 역임
저서: 시집 2권, 기획시집 등
시계여행작가협회 사무국장
격월간 〈여행문화〉 편집국장

우 정 자

사진작가
1942년 11월 15일 진주 출생
워싱턴 국제 사진 공모전 수상
한국사진작가협회 경산지부 사진 공모전 수상
한국사진작가협회 고양지부 촬영대회 수상
한국사진작가협회 논산지부 장려상, 입선등
세계여행작가협회 회원
한국사진작가협회 회원

김 광 덕

사진작가
1950년 대구 출생
삼부토건(주) 퇴직
고양 사진 연구회
모두투어 여행사진 공모전 수상
세계여행작가협회 편집위원

황 정 연

시인, 수필가, 여행작가
〈경의선문학〉 시·여행작가 등단
세계여행작가협회 부회장
한국현대시인협회 회원, 국제PEN회원
ART & C 편집위원
한국현대문학작가연대 중앙위원
격월간 〈여행문학〉 편집위원

장 민 숙

수필가, 영국 거주
저서: 『내가 사는 곳 영국』

세계여행작가협회 회원

ㄱ
가람(이진숙)
강민숙
강인철
강용숙
김가배
김길부
김광덕
김민숙
김문덕
김봉숙
김선주
김선인
김성배
김연수
김영수
김옥자
김유조
김영애
김영자
김은주
김장진
김정아
김정애
김재학
김탁재
김철교
김현경

고지수
구도일
권혁상
ㄴ
남정호
ㄹ
류재갑
류미월
ㅂ
박경희
박상윤
박선희
박미옥
박월랑
박영란
박영봉
박 웅
방혜역
박호숙
배정숙
ㅅ
신동명
신영길
심우선
심명숙
손선혜
ㅇ
양해승

이민홍
이지영
이영숙
이원경
이보숙
이상술
이상우
이상윤
이순향
이춘희
이흥규
임문순
오희자
오흥범
우정자
유성봉
유진순
유병순
윤정길
ㅈ
장경내
장덕환
장애경
장연수
장재덕
장정은
장종득
전규태

전효택
정선모
정주영
조복순
조한선
조희완
진정락
ㅊ
최경자
최건차
최승태
최인순
최윤정
최창재
최태권
최혜덕
최흥규
ㅎ
한승욱
한향순
홍건표
홍혜자
황인옥
황의각
황연식
황정연

안중근 의사
저자 ; **장 덕 환**

전체 ; 221면   / 발행처 ; 공간

초판 발행 ; 2018-10 / E-mail ; chon@snu.ac.kr

　　이 책은 안중근 의사의 행적에 대해 논리정연하고 간단하면서도 중점을 명확하게 설명하고 있다. 안 의사의 거사에서 순국까지 보여준 의연한 기상과 장부다운 기개, 일본의 재판과정의 비밀지령, 관할권 문제의 국법상 불법성, 재판기록, 안 의사 가문의 독립운동, 동양평화론 등 다양한 각도에서 서술하고 있다.

　　　　　　　　　…광복회장 박유철 추천 글 중에서…

8인의 시선집
세계여행작가협회 시선-1

저자 ; **가람 김가배 김유조 심명숙 유성봉
　　　유진순 최윤정 황정연**

전체 ; 199면 / 가격 10,000원 / 발행처 신아출판사

초판 발행 ; 2017-6-10

　　밤하늘에서 쏟아지는 별빛만큼이나 아름답기를 노력하는 우리는 이제 뒷모습이 아름다워야 할 때, 돌아보면 그 자리가 더욱 아름다운 혼불의 흔적으로 남기기를 바라는 이 책은 세계여행작가협회 작가들의 좋은 작품들만 모아놓은 앤솔로지(anthology)이다.

어머니의 편지 (남도방언 서사시집)
저자 ; **이 흥 규**

전체;232면/가격;15000원/발행처;도서출판 생각나눔

초판발행 ; 2015-9-9 / 재판발행 ; 2016-9-12

　　고향의 흙냄새와 더불어 그 땅에서 수천 년간 몸담고 살아온 선조들의 체취가 배어있는 사투리는 우리가 태어나서 어머니 품에서 처음으로 배운 말이다. 말 이전에 엄마와 아이의 혼과 혼이 맞닿아 자연스럽게 익힌 언어로 원초적인 얼이 스며들기 마련이다. 특히 전라도 사투리는 말의 억양과 장단에 리듬과 운율을 담은 가락이 흐르고 있어 주고받는 대화가 그대로 판소리라고 해도 과언은 아니다. 그리고 그 가락에는 가슴을 감아 도는 뭉클한 정이 얹혀있다.

파도랑의 묵애
― 시·소설집 ―
저자 ; **가 람**
전체 ; 239면 / 발행처 ; 도서출판 썬
초판발행 ; 2018-10 / E-mail : jinnyee7@daum.net
　　여러 형태의 시 소설이 창안되었겠지만, '파도랑의 묵애'는 기행 시 소설의 장점을 활용하여 묵시적으로 전하고자 하는 사랑과 철학, 존재론, 신과 삶, 문명이기, 인공지능. 달 착륙 거짓, UFO등을 시대에 맞게 실체적인 소설의 형식을 빌어 조명했으며, 시가 신선하게 감성을 두드릴 수 있도록 노력했다.

평생의 인연
산문집
저자 ; **전 효 택**
전체 ; 221면 / 발행처 ; 공간
초판 발행 ; 2018-10 / E-mail ; chon@snu.ac.kr
　　이 산문집의 저자는 글 쓰는 즐거움에서 발견하는 성찰과 돌아보는 '삶의 잔상'과 '삶의 자취'로 지난 수년간 여러 문예지에 게재한 50편의 글을 묶은 두 번째 산문집이다. 특히 일반 산문집에서는 보기 어려운 '암석 광물 기행'이라는 주제로 저자의 전공 분야를 쉽게 다루고 있다. "앞으로도 얼마나 솔직하게 마음에서 우러나오는 글쓰기를 할 수 있을까를 고민하며,

여행자의 잠언
시집
저자 ; **김 유 조**
전체 ; 202면 / 가격 ; 15,000원 / 발행처 ; 신아출판사
초판발행 ; 2019-1
E-mail ; mokwon100@hanmail.net
　　태어나서 살아가는 어느 한 순간이라도 여행자의 궤적이 아닐 수 있으랴.
　　몸만 아니라 의식의 움직임도 포함하여서.
　　내 의식이나 생활의 동선은 항상 이동의 심상이다.
　　불온한 이동의 심상이다.

erom⁺

Thanks Group
Good for all, Good for world

윤 경 춘
회원번호 KR-33002675

Mobile.
010·8323·7116

서울캠퍼스 - 서울특별시 성동구 아차산로110 성광빌딩202호
(pc) https://www.eromplus.com (mobile) https://www.eromplus.com/m

---

대표이사
이 상 윤
010-3584-6699 my2641504@hanmail.net

MIB보일러
토르크모타
인버터모타
디지털위상변환기

변속모터전문메이커 Est. 1973
명윤전가 (주)
MYUNG YOUN ELECTRONICS CO., LTD.
인천광역시 부평구 평천로 59
Tel. 032-330-1510 Fax. 032-330-1514
www.myungyuon.com

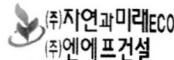
(주)자연과미래ECO
(주)엔에프건설

代表理事/CEO
처 혜 경

[서울]서울특별시 강서구 방화대로 6다길 20-13
T. 02, 2606, 9974 F. 02, 2605, 9993
C. 010, 5473, 5538
E. liquopia@naver.com
http://blog.naver.com/liquopia
[인천]인천시 부평구 평천로 145 에프앤피빌딩 208호
T. 1544, 4209 F. 032, 511, 4096

조경시게업전문업, 조경시설물전문업, 시설물유지관리, 부대토목 및 포장공사, 환경신가술

부흥 Rainbow

RAINBOW
RB
www.compactchair.com

대 표 윤 정 길

인천광역시 부평구 서달로298번길 115
TEL : 032)529-1473
       032)529-1493
FAX : 032)529-1494
H.P : 010-8925-3058
Email : yunecook@naver.com

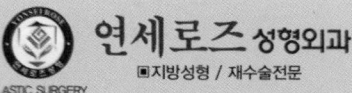
연세로즈 성형외과
◼지방성형 / 재수술전문
PLASTIC SURGERY

황 수 지

서울시 금천구 가산동151-30
H · P : 010-9229-8218

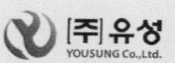
[주]유성
YOUSUNG Co.,Ltd.

°g
dot gram™

대표이사 **진 정 락**

인천시 남구 염전로 201 번길 3 (도화동)
TEL:032-874-4985 FAX:032-875-8048
H.P :010-7527-4425 E-mmail:jungrakj@hanmail.net
www.yousungind.com

2018년 6월 9일

제4회 정기총회 및 출판기념

세계여행작가협회의 제4회 정기총회 및 문집 제3호 출판기념회를
현대아카데미하우스 정원에게 개최하였다.
해마다 성황을 이루는 회원님들의 건강한 열정으로 또 한해의 결실 맺었다.

2018년 10월 20일

제4회 단풍 음악회

세계여행작가협회 제4회 단풍음악회가 10월 2일 열렸다.
회원들이 손꼽아 기다리는 단풍음악회는 추경이 함빡 젖은 현대아카데미하우스에
서 고이 접어 간직할 가을날의 추억을 만들었다. 해가 가도 변하지 않는 회원님들!
그 노래실력, 그 모습으로 내년에도 단풍 고운 날 다시 한 번 뛰어 놀아요~^^

2019 vol. 4

세계
여행
작가

Globalization Travel Writer

인쇄일   2019년 6월 10일
발행일   2019년 6월 15일

지은이   세계여행작가협회 편
협회장 · 편집인 장덕환
고문   전규태
주간   김유조
편집국장   심명숙
편집위원   유진순, 전효택, 최윤정, 김가배, 김광덕, 이흥규
기획   황정연, 가람

인쇄처   천일문화인쇄사
발행처   서 문 당
발행자   최 석 로
주   소   경기도 고양시 일산 서구 가좌동 630
전   화   031-923-8288
등록번호   제406-313-2001-000005호
ISBN   978-79-8243-692-8
값 15,000원

세계여행작가협회 본부
경기도 양주시 장흥면 호국로 73번길 164-58 현대아카데미하우스
E-mail ; smsk09@hanmail.net
전   화   010-5026-4226
회장님   010-5263-2938